Cuprins

Introducere

Bine ați venit la acest ghid cuprinzător al raselor de cai și ponei. În prezent, există atât de multe rase diferite încât nu este ușor să le urmărim pe toate. Poate că sunteți interesat de cai de mult timp și ați dori să aveți o imagine de ansamblu mai bună a diferitelor tipuri de cai. Sau sunteți în căutarea calului potrivit și nu prea știți care dintre ele vi s-ar potrivi.

Bineînțeles, ca părinte al unui copil iubitor de cai, este posibil să doriți să citiți mai multe pe această temă. Așadar, oricare ar fi motivele pentru care ați cumpărat această carte, ea vă va oferi o imagine de ansamblu cuprinzătoare a lumii cailor și a poneilor. În primul rând, acest ghid vă va cufunda ușor în lumea raselor de cai și ponei și vă va oferi cunoștințe de bază despre aceste animale. Prima parte a cărții se referă la istoria cailor și la modul în care aceștia au luat naștere. În plus, vă ofer o prezentare generală a celor patru grupuri principale de rase de cai.

În acest fel, învățați deja cum să clasificați aproximativ fiecare cal. De asemenea, vreau să vă învăț care este diferența dintre caii de călărie și cei de muncă și dintre caii de stepă și cei de munte. După ce sunteți bine pregătiți și ați stăpânit elementele de bază ale lumii cailor, vă voi prezenta o varietate de rase diferite. Veți găsi un amestec colorat de cai calzi, reci și de rasă pură, dar și ponei și cai mici. Pentru a vă oferi o secțiune transversală foarte realistă a raselor de cai și ponei, nu am rezumat doar cele mai populare și cunoscute rase, ci am introdus și rase exotice, speciale și pe cale de dispariție.

Fiți curioși să aflați ce rase de cai grozave vă așteaptă aici. Sper că vă veți bucura de lectura acestei cărți și vă încurajez, de asemenea, să o folosiți ca o carte de referință atunci când doriți să aflați mai multe despre o anumită rasă. Dar acum haideți să trecem la ghid și să ne distrăm!

Partea 1: Cal de cunoștințe generale

Înainte de a ne dedica celor mai populare sau interesante rase de cai și ponei, ar trebui să dobândiți mai întâi cunoștințe generale solide despre această creatură fascinantă care este calul. Indiferent dacă sunteți în căutarea calului potrivit sau dacă doriți să vă familiarizați în principiu cu diferitele rase - este întotdeauna un avantaj dacă știți și ceva despre istoria calului și puteți astfel să deduceți singuri multe trăsături de caracter sau și caracteristici fizice ale raselor respective. În plus, nu toți caii sunt la fel, iar numeroasele rase de cai pot fi împărțite în diverse subgrupe. Aș dori să vi le prezint și pe acestea în partea generală a cărții, pentru a le putea urmări mai bine. În prezent, există peste 250 de rase de cai în lume - nu este întotdeauna ușor să le urmărim pe toate. Dar dacă știți deja diferența dintre animalele de călărie și cele de muncă, dintre cele cu sânge cald și cele cu sânge rece și altele asemenea, vă va fi mai ușor să faceți distincția între fiecare cal în parte și poate că veți găsi calul potrivit pentru dumneavoastră. Așadar, să începem cu istoria rasei de cai și să ne catapultăm cu mii de ani în urmă....

Istoria rasei de cai

Imaginați-vă că stră-stră-stră-stră-stră-străbunicul cailor de astăzi a trăit deja acum 60 de milioane de ani. Pe atunci - în perioada de dinaintea oamenilor - în pădurile primare umede trăia o creatură destul de mică, pe care noi o numim acum *Eohippus.* Această creatură ajungea la o înălțime de numai 35 cm și - spre deosebire de caii de astăzi - avea și degete. Acest animal semăna în aparență cu o antilopă fără coarne și nu era tocmai mai înalt sau mai lat ca statură decât o vulpe sau un câine. Au fost găsite multe fosile ale acestui eohippus, în special în America de Nord, motiv pentru care se poate presupune că de aici provin caii de astăzi.

De-a lungul mileniilor, eohippusul a continuat să evolueze. A devenit mai mare și mai robust, iar picioarele sale au devenit, de asemenea, din ce în ce mai lungi. Degetele de la picioare s-au retras treptat, astfel încât a ajuns să aibă doar trei degete mai mari. Degetul mijlociu era cel mai mare și acesta s-a dezvoltat treptat în copita pe care o cunoaștem astăzi la caii noștri. Celelalte degete pur și simplu s-au atrofiat. Acest lucru a conferit calului original mai multă stabilitate și l-a făcut mult mai rapid. Această viteză a fost, de asemenea, necesară, deoarece, în timp, mediul înconjurător s-a schimbat, iar calul își putea asigura supraviețuirea prin mersul său mai rapid. Primul ecvideu adevărat a fost numit *Pliohippus*. Era aproape la fel de mare ca și caii de astăzi și s-a adaptat bine la condițiile de viață adesea precare din stepele cu iarbă ale acelor vremuri. Până atunci, calul preistoric avea tendința de a se hrăni cu frunze. Pe măsură ce mediul s-a schimbat, însă, a trebuit să se adapteze la iarba rară și la viața din stepă. Dinții i s-au schimbat, la fel ca și creierul și ochii, astfel încât calul să poată recunoaște mai repede dușmanii și să fugă.

Cu aproximativ două milioane de ani în urmă, Pliohippus a evoluat în așa-numitul *Plesihippus.* Astăzi, acest animal este considerat strămoșul direct al cailor moderni. Conform descoperirilor științifice, se spune că din el s-au dezvoltat patru tipuri originale de rase de cai:

1. **The North Pony:**
   Tipul original de ponei nordic era originar în principal din nord-vestul Europei și avea o înălțime de aproximativ 120 cm. Acest ponei avea un cap foarte drept, cu nări mari. Avea nevoie de acestea pentru a încălzi suficient aerul pe care îl respira, deoarece în regiunile sale era întotdeauna extrem de frig. De aceea, poneiul nordic era un animal foarte puternic și robust, care putea face față vremii reci și umede și hranei sărăcăcioase. Din cauza peisajului foarte aspru și stâncos, acest tip de ponei era foarte robust și avea nervi puternici, precum și o conversie alimentară perfectă. Poneiul nordic s-a adaptat întotdeauna la condițiile meteorologice și, prin urmare, nu avea teritorii fixe. În plus, poneiul nordic era probabil foarte tolerant față de alte creaturi, deoarece căldura și protecția oferite de turmă erau mult mai mari decât cele oferite doar de

ponei. Poneiul din Exmoor cunoscut astăzi ar corespunde tipului de ponei nordic cunoscut la acea vreme.

2. Poneiul Tundra

La acea vreme, poneiul de tundră trăia în zonele din sudul Rusiei și Kazahstanului de astăzi, dar și în Iran și în vestul Chinei. Se adapta la fel de bine la frigul geros și la lipsa de hrană, dar era ceva mai mare și chiar mai voluminos decât poneiul nordic. Poneii de tundră aveau nervi foarte puternici, erau calmi și toleranți față de turme. Era foarte asemănător cu calul lui Przewalski de astăzi și se crede, de asemenea, că este predecesorul calului de sânge rece de astăzi.

3. Calul cu cap de berbec

Acest al treilea tip original de cal s-a dezvoltat în stepele calde din Asia Centrală și era robust și atletic. Era foarte rapid și agil. Trebuia să fie, deoarece în pajiștile plate dușmanii aveau adesea un joc ușor, iar caii erau descoperiți rapid. Prin urmare, evadarea era singura opțiune aici, motiv pentru care calul Ramskopf a venit cu mult temperament. Aprovizionarea cu hrană în stepă era bună, așa că, de obicei, caii rămâneau pe teritoriul lor și își țineau turma destul de liberă. Blana acestor cai era destul de fină, respirația lor era bine dezvoltată și bucuria de mișcare foarte mare. În zilele noastre, în această categorie ar fi clasificați caii foarte nerăbdători și impetuoși, precum calul Achal-Tekkiner sau calul Sorraia.

4. Calul de stepă

Așa-numitul cal de stepă era ceva mai mic decât celelalte tipuri originale și s-a stabilit în Asia de Sud, în Orient și în Egipt. Acolo a trebuit să facă față unui climat uscat și cald. Din cauza secetei frecvente, calul de stepă trebuia să fie foarte dispus să rătăcească pentru a găsi hrană. În consecință, nu era legat de un teritoriu mic, ci era în continuă mișcare. Acești cai s-au adaptat foarte bine la schimbările climatice și la diferitele surse de hrană. În plus, caii de stepă aveau umerii destul de înclinați și crupa dreaptă, motiv pentru care aveau un galop foarte persistent. Astăzi, arabii ar fi clasificați ca fiind acest tip de cal.

În prezent, mai există exact o singură rasă de cai care este considerată descendentă directă a cailor preistorici din epoca glaciară: calul Przewalski. Acest cal trăiește încă în Asia, sub formă de cal sălbatic. Până în secolul al XIX-lea, în Europa mai trăiau încă niște așa-numiți Tarpani, care erau, de asemenea, descendenți direcți ai cailor primitivi. Din păcate, aceștia au fost deja exterminați. Nu știm cum a ajuns calul la om și cine a îmblânzit, călărit sau chiar a crescut primii cai. Cu toate acestea, descoperirile de oase din Epoca de Piatră arată că, probabil, caii erau folosiți și ținuți ca animale de companie încă cu 30.000 de ani înainte de Hristos. Cu toate acestea, este foarte probabil ca la acea vreme caii să fi fost ținuți mai mult ca sursă de carne și nu ca animal de călărie sau de povară. Modul în care a avut loc de fapt domesticirea și cum s-a impus calul ca animal de muncă și de călărie rămâne controversat. Cu toate acestea, se presupune că o mare varietate de popoare au fost implicate în paralel în domesticirea speciei de cai sălbatici.

Subdiviziunea raselor de cai

Rasele de cai pot fi subdivizate în diferite moduri. Cu toate acestea, cea mai comună este împărțirea în patru grupe principale: Pur-sânge, cai cu sânge cald, cai cu sânge rece și ponei sau cai mici. Aceste patru grupe diferă prin temperamentul lor, dar și prin fizicul și domeniul de utilizare, precum și prin originea lor. În consecință, atunci când se cumpără un cal, de exemplu, există deja anumite preferințe, în funcție de ce trăsătură de caracter trebuie să aibă calul sau de munca pe care trebuie să o facă. În plus, rasele de cai pot fi împărțite, de asemenea, în cai de călărie sau cai de muncă, exclusiv în funcție de utilizarea lor, sau, în funcție de originea lor, în cai de stepă sau cai de munte. Vă voi oferi o prezentare generală a tuturor acestor subdiviziuni. Cu puțină practică, veți putea să clasificați un cal într-unul sau altul dintre grupuri doar după aspectul și comportamentul său și veți deveni un adevărat expert în cai.

1. Araber. — 2. Englisches Vollblut. — 3. Trakehner. — 4. Shetland-Pony. — 5. Clydesdale. — 6. Jucker.
7 Oldenburger. — 8. Orlow-Traber. — 9. Belgisches Lastpferd.

Ilustraț ie 1: Subdiviziunea timpurie a cailor

Grupa principală 1: Thoroughbred - The Hot Stove

Pur-sângele este împărțit în două rase: arabă și pur-sânge englezesc. Amândouă sunt foarte delicate, aproape lunguiețe și au capete delicate. Au sângele plin de foc și sunt foarte vioi și rapizi, de aceea sunt adesea folosiți pentru curse sau călărit de anduranță. În ciuda staturii lor mici, acești cai sunt foarte rezistenți și puternici. Sunt adesea încrucișați cu cai warmbloods pentru a obține cai warmbloods mai sprinteni. Această încrucișare a unui pur-sânge cu o altă rasă se numește metisă.

Diferența dintre pur-sânii de rasă englezi și arabi constă în originea lor: așa-numitul pur-sânge arab este o rasă foarte veche și provine din zonele foarte calde ale Orientului. Pe de altă parte, pur-sânge englezesc este o rasă creată de om și crescută intenționat, care există de aproximativ 300 de ani și produce cai de curse.

Caracteristicile fizice ale unui pur-sânge sunt constituția fină deja menționată și, mai ales, zona frunții, care este adesea ușor curbată spre interior. Această formă specială a capului se numește "cap de știucă". În plus, puradeii au o blană foarte fină, nu foarte densă, din cauza descendenței lor din țările calde. În plus, pur-sânii de rasă se caracterizează printr-un spate mai degrabă scurt, ochi mari și o coadă foarte înaltă. În funcție de tipul de cal, un pur-sânge poate crește între 1,50 m și 1,70 m înălțime.

Caii de rasă sunt creaturi foarte nobile și sunt adesea numiți "aristocrați printre cai". Pe cât de frumoși sunt la vedere, pe atât de pretențioși sunt și ei. Prin urmare, caii de rasă pură nu sunt potriviți pentru începătorii de echitație. Aceste animale speciale sunt foarte sensibile și delicate și, prin urmare, pot fi ușor stresate și nervoase. Ei absorb literalmente stimulii și, prin urmare, apar adesea foarte tensionați sau înflăcărați. Cu toate acestea, acești prieteni sensibili cu patru picioare au, de asemenea, un nivel foarte ridicat de inteligență și dorința de a performa, motiv pentru care sunt foarte populari atât în sectorul de agrement, cât și în cel sportiv. Ei sunt deosebit de potriviți pentru echitație de anduranță sau pentru concursuri. Când sunt folosiți la potențialul lor maxim, puradeii sunt foarte dornici să învețe, dispuși să se sacrifice și, mai presus de toate, foarte loiali. Ei doresc să aibă UN singur îngrijitor și vor da totul pentru acea persoană dacă li se oferă suficientă grijă. Pentru călăreții experimentați, caii de rasă pură pot fi un companion minunat.

Grupa principală 2: Warmblood - Un cal echilibrat și complet echilibrat

Caii cu sânge cald pot fi clasificați între caii de rasă pură și caii cu sânge rece în ceea ce privește constituția și caracterul lor. Prin urmare, ei reprezintă un punct de mijloc între caii de rasă fină și vioaie și caii mari și mai liniștiți cu sânge rece. În aparență, un warmblood este ceva mai mare și mai greu decât un pur-sânge și are o dispoziție mai relaxată. În plus, însă, este mai agil și mai rapid decât cel cu sânge rece. Prin urmare, este un amestec cu adevărat ideal, motiv pentru care este atât de popular ca și cal de agrement. Warmbloods sunt, de asemenea, foarte răspândiți în sportul profesionist. Datorită naturii lor prietenoase și dornice să învețe, aceste animale sunt cel mai bine reprezentate în dresaj și în sărituri peste obstacole.

Dacă vedeți un warmblood, veți observa imediat construcția sa coerentă. Spatele este destul de lung și întregul corp este într-o stare musculară de bază bună, cu o alimentație și exerciții fizice suficiente. Warmbloodul are un cap drept, destul de proeminent și o crupă ușor înclinată. În plus, warmbloods pot avea o mers foarte vioi, impresionant. Warmbloods se găsesc de la aproximativ 1,60 m înălțime. Există peste 100 de rase de warmblood în întreaga lume, cum ar fi andaluzul, hanoverianul sau trakehnerul.

Warmbloods sunt adesea prima alegere atunci când se cumpără un cal.

Acest lucru are de-a face cu faptul că warmbloods au de obicei un caracter foarte echilibrat, există multe rase diferite și sunt potrivite atât pentru plimbări ușoare, cât și pentru sporturi de înaltă performanță. O altă rasă care trebuie menționată este warmbloodul greu. Acesta este rezultatul încrucișării cu rasele cu sânge rece. Warmbloodul greu are o constituție destul de puternică și, prin urmare, seamănă mai mult cu un sânge rece. Cu toate acestea, caracterul sportiv rămâne. Warmbloodul Heavy Warmblood este văzut în principal ca un cal de trăsură sau de plug - de asemenea, la turnee și concursuri. Warmbloods Heavy Warmbloods sunt, de asemenea, populari ca și cai de terapie sau pentru călăreți ceva mai puternici, datorită forței și calmului lor.

Grupa principală 3: Cu sânge rece - Puterea de caracter bunicel

Bunătatea și puterea - asta au în comun majoritatea cailor cu sânge rece. La urma urmei, acești băieți magnifici aduc cu ei o greutate și o masă destul de mare, dar sunt totuși foarte blânzi. Așa că nu trebuie să vă faceți griji că acești giganți își vor folosi masa pentru a deveni răutăcioși. Dimpotrivă - zicala cu carapacea tare și miezul moale se aplică cu adevărat aici.

Atunci când vedeți un cal cu sânge rece, veți fi cu siguranță impresionați de aspectul său. Aceste rase de cai cresc până la o înălțime de aproximativ 1,60 m și cântăresc între 700 și 800 kg. Cel mai impresionant cal cu sânge rece care a trăit vreodată se numea Big Jake - avea chiar 2,10 m înălțime și cântărea 1000 kg. Caii cu sânge rece au, în general, un cap foarte mare și puternic, precum și o structură osoasă puternică și membre ferme. Copitele sunt, de asemenea, foarte mari și, spre deosebire de copitele cailor cu sânge cald sau de rasă pură, par foarte masive. În general, caii cu sânge rece au o constituție foarte puternică și robustă. Tipică este, de asemenea, deseori și pilozitatea pronunțată. Atât coama, cât și coada pot fi foarte luxuriante, iar pasarelele sunt, de asemenea, clar dezvoltate.

Caii cu sânge rece au fost inițial cai de război și își purtau cavalerii pe câmpul de luptă cu armura lor grea. Acesta este motivul pentru care calul cu sânge rece este și astăzi un purtător de greutăți. Datorită spatelui său puternic și a blândeții sale, calul cu sânge rece este folosit uneori ca un cal de familie sau de terapie. Astfel, acesta transportă conștiincios copiii mici în siguranță prin zonă și poate transporta și călăreți grei. Cu toate acestea, în principiu, calul cu sânge rece este de fapt mai degrabă un cal de muncă, servind drept cal de tracțiune pentru lucrările forestiere, de exemplu.

Grupa principală 4: Pony - Bursucul robust și obraznic

Cuvântul pony provine din limba engleză și înseamnă ceva de genul "cal mic". De fapt, acesta descrie destul de bine acest tip de cal: de la o înălțime de 148 cm se vorbește de un cal, tot ce este mai jos se numește ponei sau cal mic.

Poneii sunt, de asemenea, descendenți ai cailor originali și se caracterizează printr-o natură foarte robustă. Sunt adesea mult mai puțin pretențioși și mai puțin sensibili decât omologii lor mai mari atunci când vine vorba de vreme și de întreținere. În ceea ce privește caracterul, sunt întotdeauna foarte luminoși, veseli, dar și expresivi și adesea obraznici și încăpățânați. Din acest motiv, se presupune deseori că un astfel de cal obraznic nu este potrivit ca prim cal sau cal pentru copii. Cu toate acestea, această presupunere este greșită. Poneii sunt animale foarte inteligente care pot fi învățate foarte multe. Cu toate acestea, le place să îi arate călărețului lor când ceva nu este în regulă sau când limita sa a fost depășită. În acest fel, chiar și copiii sau începătorii învață să trateze animalele cu respect și egalitate.

Nu este posibil să se descrie foarte precis fizicul unui ponei, deoarece există multe tipuri diferite. Există rase de ponei foarte delicate și nobile, dar și rase de ponei destul de robuste și puternice. Datorită acestei diversități, poneii pot fi folosiți în aproape toate domeniile. Sărituri, dresaj, conducere sulky, plimbări în aer liber - de fapt, puteți face totul cu acești tovarăși mai mici.

Atunci când vine vorba de cumpărarea unui cal, trebuie să știți, desigur, că statura călărețului trebuie să se potrivească și cu cea a poneiului. Poneii sunt foarte potriviți pentru copii, tineri sau adulți foarte mici. Adulții mai înalți și mai largi nu ar trebui să cumpere un ponei dacă acesta urmează să fie folosit ca și cal de călărie.

Cal de călărie vs. cal de muncă

Diferența fundamentală dintre un cal de călărie și un cal de muncă este, desigur, modul în care sunt folosiți acești cai. Caii de călărie sunt - după cum sugerează și numele - destinați să fie călărit, iar caii de muncă sunt acolo pentru a ajuta, în special în agricultură. Să aruncăm acum o privire mai atentă asupra celor două tipuri de cai:

Caii de tip cal de călărie sunt ideali pentru călărie datorită conformației lor, dar și a mișcărilor lor. Mersul lor este în mare parte de acoperire a terenului și ritmic, cu multă împingere din partea posterioară. Aici mersul, trotul, precum și galopul sunt dezvoltate în mod egal și importante. Un tip special de cal de călărie este cel de sărituri de concurs. Pentru sărituri, calul trebuie să aibă mai degrabă un spate mai scurt, dar foarte puternic. Picioarele tubulare trebuie să fie, de asemenea, lungi și puternice, iar jaretele foarte stabile. În consecință, caii de sărituri cu aceste caracteristici sunt crescuți în mod special în sportul de top. Cu toate acestea, în principiu, există puține diferențe între caii de dresaj, de sărituri și de concursuri. Dacă vă uitați la caii de curse, însă, puteți vedea deja că sunt mai degrabă filigranți, cu picioare foarte lungi și puternice și tendoane rezistente. De asemenea, sunt de obicei foarte subțiri, deoarece și ei dau randament maxim și astfel eliberează multă energie.

Caii de muncă sunt uneori numiți cai de tracțiune și au o constituție foarte musculoasă și corpolentă, care impresionează orice privitor. În trecut, agricultura ar fi fost imposibilă fără caii de tracțiune, dar chiar și astăzi există multe zone în care caii încă mai ajută la activitățile forestiere sau agricole de zi cu zi. Pe de o parte, aceste animale foarte inteligente și robuste sunt folosite pentru a trage echipamente de lucru la sol, cum ar fi plugul, sau pentru a transporta produse agricole. În trecut, ei erau folosiți și ca cai de fabrică de bere, de exemplu, pentru a transporta berea dintr-un loc în altul. Caii de muncă au fost, de asemenea, folosiți uneori în minerit, unde poneii Shetland, în special, erau folosiți ca așa-numiți cai de mină. Aceștia trăgeau încărcăturile până la vagoanele de mină respective. Astăzi, cu greu ne putem imagina cum acești ponei mici își făceau ziua de muncă în aceste pasaje înguste, în întuneric aproape complet. De asemenea, este interesant de remarcat faptul că, înainte de inventarea transportului feroviar, caii de tracțiune serveau drept tramvaie sau autobuze trase de cai. În zilele noastre, caii de muncă sunt mai degrabă folosiți pentru a muta lemne sau chiar pentru a curăța zăpada. Caii de muncă dezvoltă în general o putere enormă, dar nu sunt cei mai rapizi. Astfel, cel mai important mers al unui cal de tracțiune este mersul. Cu multă energie și putere musculară pură, calul poate astfel să mute lemne, să tragă pluguri sau orice este necesar pe moment, într-un pas puternic. Trotul și galopul nu sunt cu adevărat necesare în această muncă.

Cal de stepă vs. cal de munte

Subdiviziunea în cai de stepă și cai de munte este, de asemenea, interesantă. Este vorba despre originea rasei respective de cai, care dezvăluie astfel multe despre temperament, caracteristici și fizic. Am vorbit deja despre caii de stepă, din care face parte și arabul, în cele patru tipuri originale. Aceste animale au o blană destul de fină din cauza căldurii și sunt foarte rapide, deoarece trebuie să fugă de dușmani în orice moment. De aici și dispoziția temperamentală. Caii de munte, pe de altă parte, provin - așa cum sugerează și numele - dintr-un peisaj muntos, stâncos. Prin urmare, sunt de obicei mai compacți și mai mici ca statură, pentru a se putea deplasa mai bine în peisajul accidentat. Caii de munte nu sunt neapărat cele mai sprintene sau cele mai rapide animale, deoarece de obicei trebuie să-și aleagă cu grijă pașii. Pe de altă parte, sunt foarte calmi și, mai presus de toate, siguri pe ei, ceea ce îi face perfecți pentru copii sau pentru ieșirile la plimbare.

Caracteristicile unui cal

Înainte de a trece împreună în revistă cele mai comune rase de cai, aș dori să explic doi termeni de bază care vor apărea și în descrierea rasei respective. Acești doi termeni sunt esențiali atunci când înveți despre rasele de cai. Poate că ați mai auzit de *"interior"* și *"exterior"*, dar nu ați putut face nimic cu ei. Acest lucru se schimbă acum. Dacă doriți să descrieți un tip de cal sau o rasă de cai, împărțiți descrierea în aceste două părți:

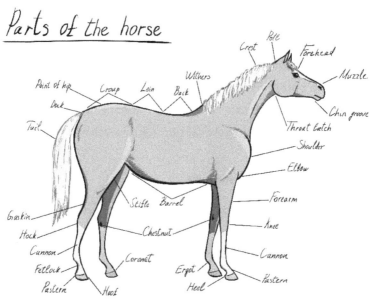

Figura 2Structura corpului unui cal

Exterior

Întregul exterior al unui cal se numeşte conformaţie. Aceasta include atât constituţia, cât şi mărimea, adică aşa-numita măsură a stocului, sau culoarea blănii şi orice marcaje. În funcţie de disciplina pentru care doriţi să folosiţi un cal, de exemplu, construcţia trebuie să fie mai degrabă mai puternică sau mai delicată. Uneori, însă, este pur şi simplu o chestiune de gust dacă se preferă caii cu o blană lungă şi groasă sau cu o blană scurtă şi fină.

Dar acum să aruncăm o privire mai atentă la toate elementele exterioare:

1. **Clădirea:**

   Conformaţia se referă la structura corporală a calului, adică la partea frontală a capului, precum şi la membrele anterioare, medii şi posterioare, inclusiv toate articulaţiile. Există mai multe componente care indică un cal sănătos şi în formă, dar acest lucru depăşeşte sfera de aplicare a acestei cărţi. O constituţie armonioasă se numeşte o formă corporală care se caracterizează prin proporţii perfect potrivite.

   Forehand   Metacarpul   Sferturi posterioare

   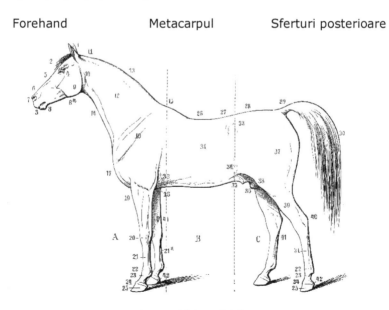

   Figura 3: Fizica calului

2. **Dimensiune:**

Mărimea calului face, de asemenea, parte din conformație și variază în funcție de tipul de cal. Aceasta se măsoară de la sol până la greabăn. În funcție de disciplină, calul ar trebui să fie mai mic sau mai mare. Dar și aici există preferințe foarte personale, motiv pentru care cineva preferă cai mai mici sau mai mari. Cu toate acestea, mărimea ar trebui să tindă să se potrivească și cu statura călărețului.

3. **Culoarea hainei:**

Calul are așa-numita blană superioară, adică haina de pe tot corpul, și așa-numita blană lungă, adică coada și coama. Blana superioară și cea lungă nu au întotdeauna aceeași culoare. În principiu, există rase în care apar toate variațiile de culoare posibile. Cu toate acestea, există, de asemenea, rase în care se întâlnesc doar una sau câteva culori specifice. De exemplu, Lipizzanerii sunt de obicei albi. În plus, se întâmplă adesea ca crescătorii să dorească să aibă doar anumite culori și să continue reproducerea doar cu cei mai frumoși cai în culoarea dorită. Culorile blănii includ și marcajele. Acestea sunt pete albe mai mici sau mai mari pe picioare sau pe cap. La unele rase, marcajele sunt binevenite, la altele sunt mai degrabă nedorite.

4. **Sex, vârstă și vârstă de pensionare.**

Caracteristicile precum sexul calului, vârsta, dar și blana crescută de pe picioare, precum și marcajul contează, de asemenea, ca și conformație.

Interior

Interiorul, pe de altă parte, descrie "interiorul" calului, adică caracterul, comportamentul și dispoziția sa. Inteligent, curios, leneș, loial, afectuos, încăpățânat, timid sau curajos - un cal poate avea o varietate de caracteristici. Datorită originii lor, există trăsături de caracter tipice rasei, dar asta nu înseamnă totuși că fiecare cal dintr-o anumită rasă este la fel. La fel ca fiecare ființă umană, fiecare cal este individual.

În funcție de modul în care a crescut calul, de ceea ce a experimentat sau a învățat și de modul în care a fost tratat, se va dezvolta una sau cealaltă caracteristică. Un cal care, în cel mai rău caz, stă doar într-o boxă și nu are niciodată ocazia să vadă împrejurimile sau o ființă umană, va deveni uneori foarte deprimat, anxios sau chiar agresiv. Un cal căruia i se permite să experimenteze și să vadă multe și care este tratat bine va tinde să dezvolte caracteristici pozitive. Ca și în cazul oamenilor, genetica joacă, de asemenea, un rol decisiv.

Caii curajoși și mândri vor produce din nou și mânji grațioși. Caii rezervați, timizi vor moșteni din nou această timiditate. Dacă nu sunteți sigur de cumpărarea unui cal, puteți, desigur, să urmăriți totuși, în linii mari, caracteristicile tipice ale rasei. Un arab nu va fi niciodată la fel de calm ca un Haflinger. Pe de altă parte, un Berber, pe de altă parte, nu va fi niciodată la fel de înflăcărat ca un pur-sânge. În cele din urmă, însă, de multe ori, sentimentul și prima cunoaștere sunt cele care decid ce cal se potrivește fiecărui călăreț.

Partea 2: Rase de cai de la A la Z

Acum am ajuns la a doua parte, cea mai mare, a ghidului. Aici veți găsi un total de 42 de portrete de rasă de la A la Z. Aceste 42 de rase sunt un amestec colorat de rase de rasă pur sânge, rase cu sânge cald, rase cu sânge rece și rase de ponei. Veți afla multe despre rase foarte populare, dar și foarte rare. Sper să vă placă să citiți și să răsfoiți cu plăcere.

Achal-Tekkiner

General

Achal-Tekkiner este una dintre cele mai vechi rase de cai și provine inițial din Turkmenistan. Această rasă a fost deja crescută acolo în urmă cu 3000 de ani. Dacă ne uităm la zona exactă de origine, numele acestei rase devine, de asemenea, clar: caii au fost crescuți și folosiți în principal de tribul turkmen al *"Teke"* în zona oazei *"Achal"*. Rasa Achal-Tekkiner este rezultatul a mii de ani de încercări de reproducere din partea popoarelor din stepă. Fiecare dintre aceste popoare dorea să producă cai mai buni pentru a avea mai multe șanse de a câștiga în bătălii, războaie și competiții de curse. Cu toate acestea, populația rasei a scăzut ca urmare a numeroaselor raiduri și războaie și a crescut din nou doar atunci când iepele arabe au fost încrucișate cu ea în secolul al XIV-lea. Creșterea s-a răspândit apoi în Rusia, Germania, Afganistan, Iran și Anglia. În prezent, Rusia, în special, este liderul în materie de creștere și, de asemenea, păstrează un registru genealogic închis, ceea ce înseamnă că nu se încrucișează rase străine.

Exterior

Dimensiunea stocului de Achal Tekin este cuprinsă între 150 cm și 160 cm. Aspectul general pare nobil și maiestuos. Capul nobil, ochii mari și urechile foarte înalte și subțiri completează imaginea armonioasă a corpului. Gâtul este destul de înalt, drept și lung, în timp ce umerii sunt bine musculoşi. Spatele este la fel de musculos şi se îmbină într-o crupă puternică. Picioarele lungi şi nervoase subliniază conformaţia graţioasă a acestei rase. Din punct de vedere cromatic, Achal-Tekkiner poate fi întâlnit în toate culorile, cu excepţia celei piebalde. În plus faţă de culorile de bază, există, de asemenea, isables şi dun. Foarte tipice pentru această rasă sunt semnele distinctive şi mai ales nuanţele speciale aurii sau argintii. Astfel, se pare că această rasă are o strălucire strălucitoare pe blana sa. În plus, blana subţire, aproape mătăsoasă a acestei rase face caii să pară şi mai nobili. O altă caracteristică specială este faptul că coama şi coada pot fi complet absente sau doar foarte subţiri şi scurte. Mişcarea unui Achal-Tekkinner este acoperitoare de sol, curată, oscilantă şi elastică. Galopul este armonios şi mai degrabă plat.

Interior

Duritatea şi rezistenţa îmbinate cu eleganţa pură descriu foarte bine această rasă. În acelaşi timp, Achal-Tekkiner este înzestrat în plus cu o mare inteligenţă şi frugalitate. Această rasă este foarte puţin pretenţioasă şi are o rezistenţă extremă. Dorinţa de a performa, precum şi capacitatea de reacţie a acestor cai sunt indiscutabil extraordinare. În plus, aceste animale sunt foarte adaptative, suple şi agile. Cu toate acestea, un Achal-Tekkiner are o voinţă foarte puternică şi un caracter propriu, precum şi un temperament deosebit de energic şi înflăcărat. Prin urmare, calmul nu este unul dintre punctele sale forte deosebite. Sensibilitatea şi subtilitatea, însă, sunt.

Utilizaţi

Datorită durităţii şi rezistenţei sale, Achal-Tekkiner este calul de sport perfect pentru călăreţii de anduranţă. Cu toate acestea, este, de asemenea, deosebit de popular ca şi cal de curse şi prezintă o rezistenţă peste medie chiar şi pe distanţe lungi. Cu toate acestea, există, de asemenea, reprezentanţi ai rasei care se simt foarte bine în dresaj şi excelează aici. În plus, rasa are o capacitate ridicată de sărituri, motiv pentru care pot fi folosiți și în competițiile de sărituri. Așadar, se poate spune că această rasă este foarte versatilă. Din cauza energiei sale, însă, are nevoie de suficient exercițiu și de o mână experimentată.

Andalusian

General

Numele complet al andaluzului este PRE, care înseamnă *Pura Raza Espanola,* adică "rasă spaniolă p*ură".* Se presupune că originea andaluzilor datează din secolul al III-lea. Se presupune, de asemenea, o relație puternică cu berberii. În special în Evul Mediu, andaluzii erau foarte populari ca cai militari puternici, chiar dacă la acea vreme nu se practica o creștere selectivă. Începând cu secolul al XV-lea, andaluzii au fost crescuți în mod sistematic în *Jerez de la Frontera,* în Andaluzia. Creșterea a fost realizată de călugări și sprijinită de regi și nobili. În afară de PRE, există multe amestecuri de PRE în care sunt încrucișate și alte rase. Foarte cunoscută, de exemplu, este Hispano-Arabianul, care este un amestec de arabă și andaluză.

Figura 4: Un cal andaluz

Exterior

Andaluzii sunt cai foarte maiestuoși și, prin urmare, întruchipează calul de vis prin excelență pentru mulți călăreți. Gâtul este înalt, coama și coada luxuriante și fluide, iar întreaga constituție este foarte robustă și musculoasă. Capetele par foarte nobile, cu ochi expresivi. Spatele este puternic, iar coapsa este compactă, cu un spate drept. Această rasă crește între 155 cm și 161 cm înălțime. Andaluzii sunt aproape întotdeauna gri, dar, în principiu, pot fi și negri. Caracteristic pentru mișcarea unui andaluz este acțiunea genunchiului înalt. Acest lucru face ca toate mersurile acestei rase să pară foarte sublime și nobile. În plus, acești cai sunt adesea legănate cu o tendință naturală de a galopa în sus.

Interior

Sprinten și docil - aceasta este probabil descrierea cea mai bună a andaluzului. Un andaluz este întotdeauna cinstit și foarte inteligent, motiv pentru care nu este ușor de păcălit și poate fi uneori un pic dificil. Un PRE are adesea o minte proprie și suficient temperament pentru a o afirma. Cu toate acestea, un andaluz este un animal cu adevărat bun la suflet, care este puternic orientat către proprietarul său. Prin urmare, această rasă este oarecum timidă față de străini. La reproducere, se acordă o atenție suplimentară pentru a transmite curaj, claritate și dorința de a învăța.

Utilizați

Călăreții sensibili, dar și cei cu experiență vor găsi în andaluz un cal care este dispus să învețe și foarte loial. Această rasă este potrivită în special pentru munca de dresaj. Datorită spatelui scurt, a verticalității înalte și a îndoirii naturale a jaretelor, un PRE poate fi colectat în mod optim și poate învăța lecții până la nivelul liceului. Andaluzii sunt, de asemenea, adesea văzuți în echitația de lucru sau ca cai de spectacol și de circ. În special în Spania, această rasă este adesea folosită pentru plimbări cu trăsura. Cu toate acestea, săriturile şi echitaţia de anduranţă nu sunt deosebit de potrivite, deoarece mişcările PRE-ului sunt prea complexe pentru aceasta. Ca un cal de agrement pentru plimbări în aer liber, însă, vă veţi distra cu andaluzul. Datorită frumuseţii şi blândeţii sale, el îi tentează, din păcate, pe călăreţii neexperimentaţi să cumpere din nou şi din nou un cal. Aici, însă, PRE poate fi foarte dificil. Cu persoanele sensibile, pe de altă parte, aproape că pare ca şi cum calul şi călăreţul se contopesc.

Pinto baroc

General

Baroque Pinto este o rasă foarte tânără, originară din Olanda. Primele încercări de reproducere au început acolo în anii 1950. Un friţonian a fost încrucişat cu un vechi pinto Gelderland, rezultând faimosul armăsar *Nico van Friesland*. Acest armăsar cu corp de frizonian era pătat cu negru şi alb şi este progenitorul Pintosului Baroc. Un warmblood cu tipul de corp al unui frizonian şi cu petele unui Pinto - aceasta sau ceva similar poate fi folosit pentru a defini această rasă specială, care se bucură deja de o popularitate destul de mare.

Exterior

Baroque Pintos are o dimensiune de aproximativ 145 cm - 160 cm şi apare exclusiv în pete albe şi negre. Rasa are un corp foarte armonios şi compact, care combină statura unui sânge cald şi statura unui frizon. Capul apare nobil, cu ochi mari şi alerţi. Gâtul este puternic musculos, iar aşezarea la greabăn este înaltă. Spatele este scurt, dar la fel de bine muşchiat. În principiu, Baroque Pinto este un cal robust, cu un tonus muscular suficient. Crinul şi coada, precum şi pasarelele pot fi luxuriante - aşa cum se întâmplă de obicei la frizoni - motiv pentru care caii Baroque Pinto au şi un aspect deosebit de graţios. La fel ca şi Friesianul, Baroque Pinto are o ţinută care acoperă solul şi o mers nobil, cu o acţiune înaltă a genunchilor. El poate fi antrenat cu uşurinţă până la şcoala înaltă.

Interior

Prietenia și nervii puternici caracterizează această rasă specială. Pintos Baroque Pintos sunt în principiu mai degrabă calmi și echilibrați și, prin urmare, pot fi descriși și ca un cal pentru începători. Etica sa de lucru și docilitatea este foarte ridicată, precum și lipsa de complicații și calmul său. Toate acestea îl fac un partener perfect pentru petrecerea timpului liber și pentru sport.

Utilizați

Rasa este vândută în principal ca și cal de agrement, dar și ca și cal de dresaj, deoarece este foarte docilă și, datorită construcției sale, este potrivită și pentru liceu. De asemenea, animalele cu un caracter bun sunt văzute din ce în ce mai des în fața trăsurilor. Baroque pintos adoră varietatea, motiv pentru care se bucură și de lecții de lucru la sol sau de circ. Deoarece pinto baroc va face aproape orice, poate fi folosit și ca un cal pentru copii sau de terapie.

Berber

General

La fel ca și pur-sângele arab, Berber este una dintre cele mai vechi rase de cai din lume. Desenele rupestre din Africa de Nord arată că această rasă a existat cu mult înainte de era noastră și, astfel, funcționează și ca progenitor al multor alte rase. Apogeul Berberului a început apoi odată cu dominația islamului în anul 800 d.Hr. În acea perioadă, calul rapid a fost încrucișat cu multe rase deja existente pentru a produce cai de curse robuste. Astăzi, atât calul englez de rasă Thoroughbred, cât și, de exemplu, Lipizzaner sau calul Camargue poartă sânge berber. Rasa berberă pură nu prea mai poate fi găsită din cauza numeroaselor amestecuri și rafinamente. Doar în crescătoriile de stat din țările lor de origine mai apar reprezentanți de rasă pură. Foarte bine cunoscut și popular în prezent este amestecul de arab și berber, care combină viteza și rezistența arabului cu robustețea și echilibrul berberului.

Exterior

Berberul este un cal destul de mic, cu o înălțime de până la 145 cm. Această rasă este disponibilă în aproape toate culorile, de la gri și dafin până la dafin închis, castaniu și negru. Berberul este caracterizat de un cap drept și nobil, precum și de picioarele sale lungi și puternice. Spatele Berberului este scurt și puternic, iar gâtul pronunțat și puternic. Mișcările acestei rase au, de asemenea, o acțiune înaltă a genunchilor. Deseori se manifestă dispoziția de a tölt și de a trece. Berberii sunt de obicei plăcuți pentru a sta pe ei și, de asemenea, extrem de siguri pe picioare.

Interior

Berberul este înzestrat cu un temperament extensiv și este în același timp foarte curajos, cu nervi puternici și răbdător. Loialitatea pe care un Berber o dezvoltă față de omul său este aproape unică, motiv pentru care se pot transforma în adevărați cai de încredere. Calmul și cumpătarea Berberului sunt, de asemenea, foarte speciale. În ciuda temperamentului său, el nu reacționează cu capul înainte în situații periculoase, ci rămâne controlabil și calm. Berberii sunt extrem de ușor de învățat și este o plăcere să lucrezi cu ei. Această rasă devine dificil de manevrat doar dacă îi dați semnale diferite și nu îi dați instrucțiuni concrete. Atunci se poate întâmpla ca berberul să se blocheze și să-și afirme încăpățânarea. În rest, însă, caii sunt foarte loiali și este o adevărată binecuvântare să te descurci cu ei.

Utilizați

Inițial, berberul a fost folosit ca un cal de cavalerie. În prezent, este folosit în principal ca un cal de călărie sau de conducere elegant. Datorită nervilor săi puternici, este, de asemenea, un cal de călărie sau de spectacol ideal, deoarece nimic nu îl poate scoate din mers. În consecință, berberul este adesea întâlnit în turismul ecvestru, deoarece poate fi călărit și de începători. În general, această rasă poate fi folosită în multe discipline datorită dorinței sale de a învăța.

ponei Connemara

General

Poneiul Connemara provine de pe coasta irlandeză a Atlanticului, o zonă caracterizată de stânci și coaste accidentate. Regiunea este destul de săracă, iar rezervele de hrană sunt foarte puține - cu toate acestea, poneii Connemara trăiesc încă în principal în aer liber. Cele 250 de zile de ploaie pe an nu pot dăuna poneilor albi. În trecut, poneii îi serveau pe fermierii de acolo ca și cai de călărie sau de povară. De obicei, aceștia purtau coșuri în spate sau trăgeau sănii în urma lor. În decursul timpului, s-au dezvoltat două tipuri diferite de acești ponei: tipul mai mare, cu sânge rece, și tipul de cal de călărie, mai degrabă mai ușor, pe care îl vedem mai des astăzi. Pe măsură ce fermierii din Irlanda au suferit din ce în ce mai mult din cauza sărăciei în secolul al XIX-lea, mulți ponei au trebuit să fie vânduți în Anglia ca ponei de groapă ieftini. Abia în secolul al XX-lea a fost restabilită creșterea de Connemara în Irlanda. În acest proces, au fost amestecați și ponei de rasă pură pentru a obține ponei de călărie ceva mai delicați. Astăzi, pe lângă Irlanda, și Germania este foarte preocupată de conservarea și creșterea rasei.

Figura 5Ponei Connemara, iapă trotând pe pajiş te

Exterior

Connemara cresc până la o înălţime cuprinsă între 130 cm şi 140 cm şi arată mai degrabă ca nişte cai uşor subdimensionaţi decât ca nişte ponei adevăraţi. La fel ca şi caii mari, aceşti ponei au, de asemenea, umerii înclinaţi, un spate lung şi o crupă bine muşchiată. Capul pare nobil, iar privirea este întotdeauna prietenoasă şi alertă. Datorită peisajului stâncos din ţara lor de origine, aceşti ponei sunt extrem de siguri pe picioare. Mersul este strident, trotul vioi şi galopul excelent. Din punct de vedere al culorii, aproape toţi Connemara sunt gri, deşi ocazional pot apărea şi castanii şi maronii.

Interior

Caracterul prietenos al poneilor Connemara este întotdeauna lăudat. În plus, animalele albe sunt foarte inteligente şi, de asemenea, perseverente. Majoritatea Connemara au un caracter excelent şi un talent calm şi echilibrat. Cu toate acestea, un temperament înflăcărat şi o obrăznicie se pot ascunde, de asemenea, sub cumpătarea echilibrată.

Utilizați

Datorită siguranței extreme a piciorului, Connemara sunt potrivite în special pentru plimbări lungi sau plimbări pe traseu și sunt potrivite și pentru începători. Ei radiază siguranță și, astfel, pot funcționa uneori ca un cal pentru copii sau pentru familie. În ciuda dimensiunii lor, Connemara sunt, de asemenea, foarte buni săritori și sunt un partener ideal pentru copii sau tineri pentru a începe săriturile. Dar, de asemenea, ca și cal de agrement, poneiul îndeplinește toate dorințele.

Clydesdale

General

Originea robustului Clydesdales se află în câmpia scoțiană. Mai exact, este vorba de zona Lanarkshire, prin care curge râul Clyde. Inițial, această zonă se numea Clydesdale, ceea ce a dat numele cailor. La jumătatea secolului al XVIII-lea, îmbunătățirea condițiilor de circulație rutieră a dus la trecerea de la caii de povară la caii de tracțiune. Ielele indigene robuste au fost încrucișate cu armăsari foarte grei, rezultând astfel primul Clydesdale. S-a născut un adevărat colos, un adevărat cal de muncă și de tracțiune. Din Scoția, caii rezistenți cu sânge rece au fost exportați și în Anglia. În 1877, a fost înființată Asociația crescătorilor pentru a păstra reproducerea pură a Clydesdales. Odată cu modernizarea, Clydesdale a devenit mai puțin un cal de muncă și mai mult un cal de conducere și de trăsură.

Exterior

Un Clydesdale este o adevărată forță cu o înălțime de 163 cm până la 193 cm. Prin urmare, acești cai pot crește până la aproape 2 m înălțime. Împreună cu fizicul lor robust și puternic, rezultatul este un aspect impunător. Fruntea este lată, ochii prietenoși, iar spatele și fesele puternic pronunțate. Foarte tipice sunt marcajele albe, adesea mari, de pe tot corpul și atârnările mătăsoase de pe picioare. Culoarea de bază a acestui sânge rece este de cele mai multe ori maro sau negru. Cu toate acestea, din când în când pot fi găsite și maro sau gri. Mersul Clydesdale-ului este, de asemenea, special. Ele sunt extraordinar de elegante pentru un sânge rece. Clydesdale nu pare la fel de sedat ca alți reprezentanți ai sângelui rece datorită mersului lor foarte expansiv.

Interior

Clydesdales sunt probabil cei mai temperamentali dintre caii cu sânge rece. Cu toate acestea, sunt foarte prietenoși și blânzi în același timp. Această rasă robustă are o foarte mare dorință de muncă și, în plus, se arată foarte orientată spre oameni. În consecință, aveți adesea parte de multă distracție alături de uriași și de un prieten adevărat. Cu toate acestea, Clydesdales au adesea momente foarte energice, motiv pentru care sunt adesea un pic prea agili pentru începători. Un cal atât de puternic este în mod clar mai greu de îmblânzit atunci când își arată temperamentul decât poate un ponei micuț. Blândețea, dar totuși cu un caracter puternic descrie cel mai bine aceste animale.

Utilizați

Deoarece rasa a fost crescută în primul rând pentru muncă și are o voință puternică de a munci, un Clydesdale trebuie să fie ținut destul de ocupat. Nu contează pentru uriaș dacă este înhămat la o trăsură, dacă este folosit pentru munci forestiere sau dacă este pur și simplu scos la plimbări regulate. Un Clydesdale se bucură de orice formă de activitate. Prin urmare, puteți folosi acest animal inteligent și pentru munca la sol sau pentru lecții de circ. Clydesdales sunt la fel de des văzuți ca și cai de spectacol impresionanți ca și cai de trăsură și de turism.

Ponei de călărie germani

General

Poneiul german de călărie face parte din grupul cailor de talie mică și este încă o rasă relativ tânără. Este crescut oficial în Germania doar din 1965. Începutul acestei creșteri a avut loc în principal în Westfalia și Weser-Ems, de unde s-a stabilit mai ales în întreaga Renania. În prezent, însă, acești ponei speciali sunt crescuți în toată Germania. La baza creșterii au stat poneii englezi, în special poneiul galez. Acesta a fost încrucișat cu anglo-arabii, arabii și pur sângele pur sânge englezesc. În zilele noastre, rasa este, de asemenea, amestecată cu warmbloods mici. Cu toate acestea, în principiu, un ponei german de călărie trebuie să aibă un conținut de galez de cel puțin 25 % pentru a fi declarat un ponei german de călărie "de rasă pură".

Exterior

Poneii de călărie germani sunt ponei de sport și așa arată. Ca statură, ei seamănă cu siguranță cu un mic warmblood dresat, cu un cap de ponei mic și dulce caracteristic. Musculatura acestor ponei este bine dezvoltată și se poate observa de la distanță statura compactă și atletică a poneiului de călărie. În ceea ce privește dimensiunea, această rasă de ponei variază între 135 cm și 148 cm. Poneii de călărie germani apar în toate culorile de blană, dominând culorile standard gri, castaniu, negru și baian. Mișcările remarcabile ale acestei rase merită o mențiune specială. Aici rasa de ponei poate concura cu siguranță cu colegii săi mai mari. Potențialul mișcărilor este impresionant: mersul este lung și acoperă terenul, trotul este energic, cu mult balans și suspensie, iar galopul tinde spre o frumoasă săritură în sus. În plus, poneii de călărie impresionează și ca săritori de concurs.

Interior

Poneii germani de călărie strălucesc prin ambiția lor sportivă și totuși sunt ușor de manevrat. Au un caracter extrem de prietenos și deschis, cu multă dorință de performanță și dorință de a merge. O anumită sensibilitate împerecheată cu suficient spirit de luptă este, de asemenea, caracteristică pentru ei. Datorită caracterului lor de încredere, aceste animale dornice să învețe sunt potrivite în special pentru copii și tineri care doresc să lucreze mult cu poneiul lor sau să meargă la competiții. Binecunoscuta încăpățânare despre care se spune că ar avea unele rase de ponei este în mare parte absentă aici. Cu toate acestea, un ponei de călărie german are, de asemenea, multă energie și temperament datorită dorinței sale de a munci.

Utilizați

Această rasă de ponei a fost întotdeauna crescută ca ponei de sport pentru copii și tineri. Ei excelează în special în arena de dresaj cu mișcările lor de acoperire a terenului, dar sunt, de asemenea, foarte activi și au succes la sărituri. Cu toate acestea, poneiul german de călărie poate fi la fel de bine înhămat în fața unor trăsuri ușoare sau călărit în stil occidental. În plus, această rasă este, de asemenea, un partener de agrement excelent dacă nu aveți ambiții de spectacol. Atâta timp cât provocați și încurajați poneiul de călărie, vă puteți distra cu această rasă în toate disciplinele, chiar și în timpul liber.

Dartmoor Pony

General

Poneiul Dartmoor este o rasă de ponei de talie mică, originară din Dartmoor. Acesta este situat în sud-vestul Angliei, în comitatul Devon. Poneii au trăit acolo ca ponei sălbatici pentru o perioadă foarte lungă de timp înainte de a fi domesticiți. Caii orientali au ajuns, de asemenea, în această zonă prin intermediul cruciadelor. Aceştia au fost încrucişaţi cu poneii Dartmoor pentru a face din poneii sălbatici şi puternici cai de călărie şi de conducere potriviţi. La acea vreme, aceştia erau folosiţi în principal ca cai de muncă sau ca ponei de călărie pentru copii la curtea regală. În timp, au fost încrucişate cu aceştia tot mai multe rase, cum ar fi pur-sângele şi poneii galezi. Cu toate acestea, până în ziua de azi, în Anglia există încă ponei Dartmoor semi-sălbatici.

Ilustraţie 6: ponei Dartmoor

Exterior

Poneiul Dartmoor are o înălţime de numai 116 cm până la 127 cm şi este în mare parte maro sau negru. Este rar să vezi un ponei Dartmoor castaniu sau alb. Aceştia au toate caracteristicile tipice ale poneilor: corp rotund, cap mic şi expresiv, gât uşor arcuit şi muşchi buni şi puternici. În funcţie de rasa cu care a fost încrucişat, există şi ponei Dartmoor care seamănă mai mult cu poneii de rasă mică. Aceştia preferă membrele subţiri, o coadă înaltă şi un cap nobil. Mersul poneiului Dartmoor este ideal pentru călărie. Se stă moale şi elastic, mişcările sunt mai degrabă plate. Cu toate acestea, se simte împingerea din partea posterioară şi aderenţa spaţială. De asemenea, merită menţionată capacitatea lor de sărituri.

Interior

Două caracteristici esenţiale ale acestui ponei sunt încrederea în sine şi inteligenţa. În plus, ei par extrem de calmi, calmi şi cu nervi puternici. Atunci când interacţionează cu oamenii, micii ponei par întotdeauna prietenoşi, sensibili şi, de asemenea, dornici să înveţe. În plus, poneii Dartmoor au o dorinţă sănătoasă de a alerga. Datorită originii lor, ei sunt, de asemenea, foarte siguri pe picioare.

Utilizaţi

Această rasă este calul ideal pentru copii şi este foarte populară şi versatilă, în special în Anglia. Datorită fiabilităţii lor, aceştia îi poartă pe copii cu grijă pe teren, stăpânesc ca prin minune traseele de sărituri şi se dovedesc a fi foarte talentaţi şi la dresaj. În Anglia, echipele Dartmoor pot fi văzute de nenumărate ori, motiv pentru care se poate presupune că această rasă de ponei este foarte potrivită şi ca şi cal de trăsură. Această rasă foarte sensibilă este, de asemenea, deosebit de potrivită ca şi cal de terapie. Pentru copii şi începători, poneiul Dartmoor este, prin urmare, o alegere foarte bună. Adulţii tind să folosească această rasă mică ca şi cal de trăsură.

Exmoor Pony

General

Poneiul din Exmoor este cel mai vechi ponei din Anglia. Acesta provine - aşa cum sugerează şi numele - din aşa-numitul Exmoor. Exmoor este situat în actualele comitate Devon şi Somerset, unde se află şi Parcul Naţional Exmoor. Această zonă este denumită după numele râului *"Exe"*. Cu toate acestea, această mlaştină engleză nu poate fi comparată cu conceptul german de mlaştină. Mai degrabă, este o zonă de landă, dintre care o parte este mlăştinoasă. Rasa de ponei descinde probabil din caii sălbatici şi trăieşte încă în stare semi-sălbatică în ţara sa de origine. Cu toate acestea, cel de-al Doilea Război Mondial aproape că a eliminat această rasă. Carnea era rară, așa că poneii au fost vânați și carnea lor a fost consumată. Doar 50 de exemplare din această rasă au supraviețuit acestei perioade dificile. Între timp, populația a crescut din nou până la 800 de animale, dintre care aproximativ 200 trăiesc ca și cai semi-sălbăticiți în libertatea parcului național. În fiecare an, poneii sunt adunați, iar mânjii sunt triați. Acest lucru înseamnă că fie sunt înregistrați pentru reproducere și li se permite să trăiască în continuare în parc, fie sunt vânduți și, astfel, în cea mai mare parte sunt antrenați ca ponei de călărie.

Exterior

Poneiul din Exmoor este mai degrabă mic, cu o înălțime de 115 cm până la 130 cm și, prin urmare, cântărește doar aproximativ 230 kg. Capul sau fruntea acestei rase este destul de largă, cu ochii mari. Gâtul este scurt, dar foarte puternic și, în rest, poneiul pare foarte robust. Spatele este curbat, crupa este rotundă, iar copitele sunt foarte ferme și robuste. Tipică pentru această rasă este culoarea maro a blănii, care poate varia oarecum în ceea ce privește strălucirea. Se pot găsi atât ponei Exmoor maro deschis, cât și reprezentanți ai rasei de culoare închisă, aproape neagră. Caracteristică este și așa-numita gură de făină, adică o decolorare albă în jurul gurii poneiului. Blana în sine, dar și părul lung, este extrem de luxuriantă. Mișcările poneilor sunt caracterizate de o siguranță enormă a piciorului și de o mers plat. Ieșirile sunt libere și fluide, dar au destul de puțină înălțime sau aderență de cameră.

Interior

Inteligent și modest - așa se poate descrie pe scurt această rasă de ponei. În plus, au o dispoziție extrem de prietenoasă, ceea ce îi face să fie foarte deschiși față de lucruri noi. Robustețea lor deosebită și nervii puternici îi fac, de asemenea, un partener excelent pentru copii. De asemenea, trebuie subliniat comportamentul lor social distinctiv și comportamentul lor de turmă necomplicat, astfel încât să se obișnuiască rapid cu noi circumstanțe, cu un mediu nou sau cu străinii.

Utilizați

Mărimea poneilor, împreună cu natura lor prietenoasă, îi face să fie un companion perfect pentru copii. Poneiul Exmoor este un ponei bine echilibrat pentru copii și este potrivit și ca și cal de boltă sau de trăsură. Calul mic maro este disponibil și ca ponei de agrement pentru plimbări, antrenamente ușoare de sărituri și tot felul de lecții de lucru la sol și de circ. De fapt, chiar și adulții mai mici pot călări poneii Exmoor, deoarece au o forță enormă în ciuda dimensiunilor lor mici. Din când în când, poneii pot fi văzuți și în parcurile de animale, unde pot trăi aproape de natură și, în același timp, pot întreține peisajul prin pășunatul unor suprafețe mari.

Pur-sânge englezesc

General

Reproducerea rasei engleze Thoroughbred datează din secolul al XVII-lea, când iepele domestice au fost încrucișate cu armăsari orientali. Intenția din spatele acestui demers a fost întotdeauna aceea de a obține un pur-sânge foarte rapid și rezistent pentru curse. Planul a funcționat, pentru că astăzi calul pur-sânge englezesc este cel mai rapid cal din întreaga lume, cu viteze maxime de 60 km/h. Pur-sângele Thoroughbred englezesc este o rasă complet pură, fără influența sângelui străin. În prezent, există 30 de generații ale acestei rase. Fiecare cal de rasă Thoroughbred englez poate fi urmărit până la unul dintre cei trei armăsari *Byerley Turk*, *Darley Arabian* sau *Godolphin Barb*.

Exterior

Mărimea unui pursânge englez poate fi foarte variabilă. De exemplu, această rasă este văzută cu o măsură a stocului de 152 cm până la 173 cm. Poriștii englezi de talie mai mică sunt numiți și "standers" și sunt folosiți în principal pentru cursele de distanță medie și lungă. Animalele mai mari sunt așa-numiții "sprinteri" și sunt folosite pentru distanțe scurte. Rasa are un aspect foarte nobil, cu un cap ușor și elegant, cu nări și ochi mari. Gâtul este ușor curbat și subțire. Întregul corp pare elegant și filigranat sau zvelt. Membrele posterioare foarte puternice și spatele bine mușchiat sunt deosebit de impresionante. Pur-sânii englezi sunt văzuți mai ales ca bay sau castaniu. Caii negri și gri, pe de altă parte, sunt mai puțin obișnuiți. Tipice sunt cel mult marcajele albe și o blană foarte subțire și fină, precum și părul lung destul de scurt. Caracteristic este, bineînțeles, acoperirea extraordinară a solului, care este indispensabilă pentru această rasă. Galopul se manifestă prin sărituri puternice, astfel încât această rasă este de necontestat în curse. Dar și trotul este foarte elastic și elastic.

Interior

Deoarece aceste animale sunt crescute pentru performanțe de top, este evident că sunt foarte dornice de performanță și perseverente. Tipic pentru această rasă, au un temperament enorm, care se poate transforma în nervozitate, în special la caii tineri. Trebuie menționat aici că rasa este, prin urmare, adesea foarte sperioasă și poate fi dificil de manevrat. Prin urmare, această rasă nu este absolut deloc potrivită ca un cal pentru începători. Cu toate acestea, această rasă este și rămâne o rasă foarte inteligentă și orientată spre oameni, dar necesită o mână sensibilă și răbdătoare, dar și experimentată, în special în curse. Calul Thoroughbred Englez combină o inimă de luptător cu o sensibilitate puternică. Acest lucru face, de asemenea, caracterul său atât de special, deși provocator.

Utilizați

Puiul englezesc de rasă Thoroughbred este crescut în mod explicit pentru curse, motiv pentru care este cel mai des folosit în această zonă. Caii sunt dresați de la vârsta de un an și jumătate și sunt trimiși la primul start la vârsta de doi ani. În curse, pur-sângele englezesc este întâlnit atât pe distanțe scurte de până la 120 m, cât și în cursele de distanță medie și lungă, unde se parcurg între 1600 m și 3200 m la galop. Cu toate acestea, nu trebuie să uităm că aceasă rasă este totuși foarte versatilă și este potrivită și pentru dresaj și sărituri. Rasa este, de asemenea, deosebit de populară ca și cal de trail riding sau de anduranță, după un antrenament adecvat. Unii cai de rasă abandonați ajung în mâinile călăreților de agrement după sportul de competiție. Aici, însă, trebuie să fim conștienți că avem alături un atlet temperamental de înaltă performanță, care a fost întotdeauna obișnuit să dea tot ce are mai bun și să meargă cel mai repede. Prin urmare, manevrarea în acest caz poate fi o provocare. De asemenea, ar trebui menționat faptul că Thoroughbred-ul englezesc este adesea folosit în reproducție ca un rafinator al unor rase de ponei și cai.

Calul Fjord

General

Numele complet al calului din Fjord este de fapt "Calul norvegian din Fjord", ceea ce ne dă o idee despre locul de unde provine. Inițial, acești cai de talie mică provin din regiunea Vestland din vestul Norvegiei. Istoria lor poate fi urmărită până în vremea vikingilor. La acea vreme, caii vikingi au fost încrucișați cu cai celți și astfel a fost creat calul de fiord ca un cal robust de munte. Acesta a fost folosit ca animal de povară și de tracțiune în peisajul stâncos al Scandinaviei și a fost folosit și pentru agricultură atunci când vikingii s-au așezat treptat. Calul de fjord s-a remarcat prin capacitatea de transport și siguranța în picioare și a fost, de asemenea, crescut în mod deliberat începând cu secolul al XIX-lea. Odată cu mecanizarea, însă, rasa a fost folosită din ce în ce mai puțin, astfel că numărul de Fjordis este în scădere și astăzi. Deși rasa este acum crescută în tipul de cal de călărie și, prin urmare, nu mai funcționează ca un cal de muncă pur, conservarea rasei pare dificilă.

Ilustraț ie 7: Caii din fiord

Exterior

Calul norvegian Fjord are o înălțime cuprinsă între 135 cm și 150 cm și se caracterizează printr-o constituție armonioasă și o musculatură bună. Ochii mari ai calului Fjordis radiază calm și natură bună. Gâtul are o linie superioară arcuită și se îmbină cu o coamă robustă și un piept larg. Spatele acestei rase este musculos, iar spinarea este pronunțată. De asemenea, are o constituție asemănătoare cu cea a calului Przewalski, motiv pentru care se suspectează o relație strânsă. Culoarea calului Fjord este, de asemenea, izbitoare. Această rasă este fără excepție dun - acestea pot fi maro, roșu și gri dun, sau mai rar dun deschis sau galben dun. Foarte tipică pentru această rasă este și gura de făină, precum și modelul izbitor de zebră de pe picioare. Coama este bicoloră și este adesea scurtată până la o coamă în picioare. O altă caracteristică specială este așa-numita linie de anghilă - o linie neagră care se întinde de la coamă pe toată coloana vertebrală până la coadă. Coada este, de asemenea, bicoloră. Marcajele albe sunt rar întâlnite la această rasă. Mersul acestei rase este foarte puternic, dar mai degrabă cu pas scurt, cu o acoperire mică a solului.

Interior

Calul din fiordul norvegian se caracterizează prin caracterul său calm și liniștit. Acești cai mici sunt foarte echilibrați și atenți, dar și interesați și cu un caracter puternic. În plus, această rasă strălucește prin rezistența ridicată și dorința de a face performanță. De asemenea, este adesea lăudată lipsa remarcabilă de simplitate și curajul puternic, astfel încât acesta este un adevărat cal de încredere. Cu toate acestea, acești cai speciali sunt adesea oarecum încăpățânați sau chiar încăpățânați.

Utilizați

Rasa de cai norvegieni este ideală ca ponei de agrement pentru călărie și conducere, datorită dorinței sale de a face performanță și a sociabilității sale. Tinerii în special, dar și adulții, se bucură de abilitățile polivalente ale calului Fjord, astfel încât au alături un partener de încredere atât la dresaj, cât și la sărituri. Dar calul Fjordi, sigur pe el și calm, este de asemenea ideal ca și cal de conducere, pentru călărie de trail sau de anduranță. Pe lângă echitația de agrement, rasa are mult succes și în sport și este tot mai des întâlnită în competițiile de dresaj, de cros și de obstacole. Datorită naturii lor robuste, sunt, de asemenea, foarte populari ca și cai de terapie. Nu este de disprețuit, totuși, craniul gros, care îi face adesea pe începători să dispere. În ansamblu, însă, un cal Fjord norvegian este potrivit pentru toate vârstele și nivelurile de performanță.

Frisonul

General

Creșterea calului frizonian de astăzi datează din secolele XVI și XVII, când Țările de Jos erau ocupate de spanioli. În provincia Friesland, un sânge rece regional a fost încrucișat cu caii spanioli de la acea vreme și a fost creat calul frizonian cunoscut astăzi. La început, frizonul a fost foarte popular ca și cal de muncă, dar apoi a fost folosit ca și cal de tracțiune nobil pentru trăsurile de domnie, în special începând cu secolul al XVIII-lea. Cu toate acestea, în secolul al XIX-lea, cererea pentru această rasă a scăzut rapid, astfel încât în 1913 mai rămăseseră doar trei armăsari. Cu toate acestea, crescători dedicați au lucrat pentru a revigora rasa. Caii frizoni sunt singura rasă de cai olandezi și, prin urmare, reprezintă, de asemenea, un bun cultural al acestei țări. Între timp, nu se mai fac încrucișări cu cai spanioli sau din alte rase, astfel încât rasa frizonă a devenit o rasă pură.

Ilustraț ie 8: Cal frizon negru

Exterior

Friesianul inspiră prin aspectul său elegant și maiestuos. Mărimea de creștere este cuprinsă între 150 cm și 170 cm, iar postura frizonului este foarte dreaptă și ridicată. Gâtul este bine format și așezat sus. Spatele este ușor curbat, musculos și de lungime medie, contopindu-se într-o crupă destul de lungă și musculoasă. Tipică pentru rasa frizonă este culoarea neagră sau cel puțin maro foarte, foarte închis a blănii. Astfel, marcajele albe nu sunt binevenite, iar un frizonian de rasă pură ar trebui să apară în mod clasic în negru pur. De asemenea, deosebită este și blana lungă şi luxuriantă, adică coama completă, precum şi coada extinsă şi kötenbehang-ul pronunţat. Friesienii au o mers foarte impresionant, ceea ce le conferă, de asemenea, o impresie foarte nobilă. În special trotul este caracterizat de o acţiune impresionantă a genunchilor. Toate mersurile frizonului sunt calme, elegante şi cu o fază de plutire clară. Tendinţa de urcare este întotdeauna de observat la această rasă şi astfel şi galopul se arată armonios săritor. Cu toate acestea, acest lucru poate fi foarte obositor pentru cal, astfel că galopurile lungi şi rapide nu se află mai degrabă în repertoriul unui frizon.

Interior

Datorită aspectului lor maiestuos, se poate presupune că această rasă este foarte temperamentală. Cu toate acestea, strict vorbind, caii frizoni se caracterizează prin bunătatea, calmul, blândeţea, prietenia şi sensibilitatea lor. De asemenea, cei mai mulţi dintre frizieni au nervi foarte puternici, dar sunt şi sensibili. Bineînţeles, caii frizoni au şi suficient temperament şi avânt, pe care trebuie să îl frânaţi din când în când. Cu toate acestea, au în general un temperament destul de echilibrat.

Utilizaţi

Călăritul şi condusul este patria calului frizon. Aici merită menţionat în mod special dresajul, deoarece aceştia fac deja o impresie foarte nobilă datorită erecţiei şi posturii lor înalte şi sunt, desigur, populari în dresaj datorită mersului lor deosebit de expresiv. Dar şi ca şi cal de agrement şi de călărie veţi fi mulţumiţi de perla neagră. Friesienii sunt adesea văzuţi în faţa trăsurilor sau ca cai de expoziţie eleganţi. Aici poate fi admirată carisma lor nobilă şi abilitatea lor pentru arta de înaltă şcoală. Rasa este mai puţin potrivită pentru cursele de galop sau pentru sărituri. Aşadar, dacă doriţi să aveţi alături un partener elegant de călărie sau de conducere, care captivează prin graţie şi eleganţă şi are un temperament echilibrat, aceasta este rasa potrivită pentru dumneavoastră.

Gelderland

General

Gelderländer își are originile în provincia olandeză Gelderland, care se învecinează cu Renania de Nord-Westfalia. Acolo au fost crescuți cai de muncă din timpuri foarte vechi, dar aceștia nu au avut nimic de-a face cu Gelderlanderul propriu-zis. Abia în secolul al XIX-lea a început acolo creșterea explicită a acestei rase de cai. Trei rase au fost încrucișate între ele: spanioli, Warmbloods germani și pur sânge englezesc. Astfel, s-au încrucișat iepe autohtone cu armăsari străini și nobili. Scopul era de a produce un cal (de muncă) cu un aspect elegant, care să poată fi folosit ca și cal de trăsură, cal de povară sau cal de călărie greu. Gelderlanderul sau *"Gelder Paard", așa cum a* fost numit inițial, a fost, de asemenea, foarte popular ca și cal de trăsură, în special în casele regale.

Exterior

Deși Gelderlander este un cal cu sânge cald, vizual seamănă cu un cal cu sânge rece, cu o constituție robustă. Au o înălțime cuprinsă între 155 cm și 163 cm. Datorită carierei lor îndelungate ca și cai de trăsură, prezintă de obicei o musculatură pronunțată la nivelul gâtului, pieptului, spatelui și posteriorului. Postura Gelderlanderului este foarte înaltă și nobilă. Capul este clar, cu ochi foarte prietenoși. Coada așezată sus, iar picioarele foarte stabile. Gelderlanderul este de culoare castanie, cu sau fără marcaje albe. Mai rar există și Gelderlanderi de culoare maro, gri, negru sau piebald. Dacă vă uitați la mersul acestei rase, veți observa imediat acțiunea genunchilor înalți. Mai ales trotul este foarte impresionant și este adesea numit "trotul de spectacol".

Interior

Caracterul unui Gelderlander combină bunătatea, prietenia și calmul cu o mare rezistență și docilitate. Datorită erecției sale și acțiunii genunchilor înalți, se bănuiește un temperament mare, care, totuși, este întotdeauna bine gestionabil și controlabil. Este foarte sociabil și harnic, precum și inteligent. Acest lucru îl face să fie un companion foarte simplu și plăcut. Singurul lucru de care trebuie să se țină cont este sensibilitatea calului: are nevoie de o îndrumare clară și, prin urmare, este uneori puțin mai dominant cu începătorii cu asistență neclară, dar fără să o facă cu rea intenție.

Utilizați

Datorită obiectivului de creștere, Gelderlander este calul optim pentru trăsuri și trăsuri. Aici rasa prinde viață și se caracterizează printr-o precizie excelentă cu o bună conductibilitate. Bineînțeles, acest warmblood destul de robust poate fi folosit și ca și cal de povară sau de muncă. Cu toate acestea, trebuie remarcat faptul că Gelderlanderul, în ciuda aspectului său, nu este un cal cu sânge rece și, prin urmare, nu poate trage nici pe departe sarcinile unui cal cu sânge rece. Această rasă poate fi folosită, de asemenea, ca un cal de familie și de călărie. Cu toate acestea, adevărata bucurie a rasei vine din înhămarea ei.

Ponei Gotland

General

După cum sugerează și numele, poneiul Gotland provine din insula suedeză Gotland și are o istorie îndelungată în spate. Această rasă de ponei este una dintre cele mai vechi rase de cai din Europa și descinde direct din primii cai sălbatici. Se presupune că poneiul Gotland sau strămoșii săi au trăit timp de mii de ani ca niște cai mici sălbatici în pădurile vaste din Gotland. Astfel, până în ziua de azi, această rasă mai este numită și *"Skogsruss", ceea ce* înseamnă "cal de pădure". Deoarece acești ponei au trăit relativ izolați pe insulă, nu a existat aproape nicio influență din partea altor rase. Abia în secolul al XIX-lea s-au făcut încercări de a încrucișa armăsari sirieni, dar și arabi și ponei Wels cu poneiul din Gotland. De asemenea, este interesant de menționat că, în vremurile anterioare, poneii din Gotland erau considerați proprietate comună. Astfel, orice fermier putea să prindă un ponei și să îl folosească pentru agricultură. În prezent, există două varietăți de ponei Gotland: pe de o parte, există încă o turmă sălbatică care trăiește în Gotland într-o zonă mare de nisip și ienupăr. Pe de altă parte, poneii sunt crescuți în principal în centrul și sudul Suediei și sunt vânduți ca și cai de muncă sau de călărie. În total, mai există încă aproximativ 6000 de acești cai mici.

Exterior

Rasa ponei atinge o înălțime de 115 cm până la 130 cm și cântărește în jur de 200 kg. Capul este - tipic pentru ponei - destul de mare, cu urechi mici, precum și cu ochi atenți și o frunte lată. Gâtul scurt este foarte puternic și se îmbină cu un piept puternic. Garoul puternic pronunțat și coada joasă sunt izbitoare. Membrele posterioare sunt mai degrabă slabe. Adesea se poate observa o ușoară malpoziție a membrelor anterioare. În mod caracteristic, poneiul Gotland are o blană lungă, foarte densă și plină. Culoarea blănii variază foarte mult: Maro, negru, gri, castaniu, dun și isabelle - există aproape toate variantele. Cu toate acestea, 80 % dintre ponei sunt de culoare închisă, doar 20 % apar în culori deschise. Mișcările poneiului Gotland nu sunt deosebit de ample, dar se caracterizează printr-un grad ridicat de siguranță a piciorului.

Interior

În principiu, poneii Gotland sunt sociabili și capabili să învețe, atâta timp cât vă ocupați de ei în mod constant. Această rasă are o voință foarte puternică și îi place să adopte obiceiuri neplăcute. Aici este nevoie de o consecvență iubitoare, altfel poneiul obraznic va obține cu siguranță ceea ce dorește. În rest, poneii sunt foarte inteligenți și duri, cu o răbdare și o frugalitate enorme. Poneii de pădure sunt destul de harnici și rezistenți, precum și rezistenți. Rezistența și energia poneilor din Gotland, împreună cu vivacitatea lor, sunt, de asemenea, excelente. Longevitatea acestei rase trebuie, de asemenea, subliniată. Poneii de peste 40 de ani nu sunt neobișnuiți. Așadar, dacă vă doriți un ponei foarte robust, chiar dacă este puțin încăpățânat, sunteți bine pregătiți aici.

Utilizați

Poneii din Gotland sunt ponei foarte populari pentru copii, mai ales în Suedia, țara lor de origine. Sunt adesea folosiți în școlile de echitație sau în ferme pentru a-i învăța pe copiii mici cum să călărească. Sunt, de asemenea, o alegere bună ca și cai de sărituri pentru tineri, deoarece poneiul are o mare capacitate de sărituri. În cursele de trot și în fața trăsurilor ușoare sau a trăsurilor, poneii de pădure sunt, de asemenea, destul de obișnuiți. Datorită robusteții lor, ei sunt versatili.

Haflinger

General

Haflingerul provine din regiunile muntoase din Tirolul de Sud/Italia și a fost întotdeauna un cal de munte popular în această zonă. Strict vorbind, își are originile în satul Hafling. Acolo, Haflingerul Haflinger, extrem de sigur pe el, era folosit în principal ca un cal de povară pentru a transporta bagaje grele pe terenul stâncos. Haflingerul original era foarte puternic și a fost folosit și în armată la acea vreme. Chiar și astăzi, Haflingerii sunt încă folosiți în unitatea militară din Bad Reichenhall. Chiar și astăzi, o mulțime de Haflingeri se nasc în zona din jurul Tirolului de Sud, dar din cauza numărului anual de mânji, mulți Haflingeri sunt acum folosiți pentru producția de cai de abator. Numărul de Haflingeri crescuți este acum pur și simplu prea mare, motiv pentru care mânjii care nu găsesc un cumpărător sunt, din păcate, foarte des sacrificați. În prezent, creșterea are loc nu numai în Italia, ci și în Austria și Germania. În principiu, rasa este crescută în stare pură, în special în regiunile sale de origine. În Germania, pe de altă parte, așa-numitul Haflo-Arabian a fost crescut cu forța pentru o vreme. Acesta este un amestec de Haflinger și Pur-sânge arab. Între timp, însă, rasa a fost împărțită în două părți independente: rasa Haflinger de rasă pură și așa-numita rasă Haflinger de sânge nobil. În timp ce Haflingerii originali erau foarte compacți, rezistenți și largi pentru a servi drept cai de muncă, Haflingerii de astăzi au devenit mult mai slabi și mai sportivi.

Exterior

Dacă te uiți la Haflingerul modern, vezi un cal mic foarte sportiv, cu o construcție armonioasă. Bineînțeles, mai există încă Haflingeri foarte grei și de construcție largă (de lucru), dar majoritatea seamănă acum cu un ponei de călărie puternic. Mai ales cei mai atletici Haflinger, cu o înălțime de 140-150 cm, nu mai au dimensiunea unui ponei. Tipic pentru această rasă - indiferent dacă este de tip lat sau sportiv - este capul lat, cu ochii foarte expresivi. De asemenea, crupa adesea înclinată și pronunțată ne amintește că Haflingerul poartă de fapt și un sânge rece. Haflingerii sunt întotdeauna castani, deși există varietăți mai deschise și mai închise la culoare. Coama este întotdeauna deschisă. Părul lung închis apare în cazuri excepționale, dar nu este de dorit. Această rasă de cai de munte are o ținută elastică și de acoperire a terenului. Se remarcă în mod deosebit siguranța de mers chiar și pe terenuri dificile. La urma urmei, în munți se urcă și se coboară deseori și se trece peste dealuri și văi. De asemenea, merită menționat faptul că unii Haflingeri au un potențial foarte bun de sărituri.

Ilustraţ ie 9: Portret al unui frumos cal Haflinger

Interior

Un Haflinger are în principiu o natură foarte echilibrată, care are, de asemenea, nervi puternici şi nu se teme de nimic. În plus, el este în mare parte prietenos şi bun la suflet. Nu sunt de dispreţuit, însă, tăria sa de caracter, voinţa şi inteligenţa sa inteligentă. În funcţie de caracterul individual, Haflingerul inteligent poate fi foarte sprinten şi poate prelua conducerea. În consecinţă, această rasă poate fi adesea puţin provocatoare. În orice caz, blondul Haflinger este dornic să înveţe şi muncitor, iar multe dintre obiceiurile neplăcute sunt mai degrabă generate de cerinţele excesive şi de plictiseală. De asemenea, Haflingerii sunt adesea căpşoare de copii care ronţăie din orice, vor să folosească orice ustensilă pentru joacă şi dau dovadă de o gândire foarte imaginativă.

Utilizaţi

Aceşti cai versatili sunt adevărate talente polivalente şi pot fi folosiţi în aproape toate disciplinele. Fie pe arena de dresaj, fie pe pista de sărituri peste obstacole, fie în concursuri sau sub şaua western, caii sport compacţi sunt din ce în ce mai bine reprezentaţi şi au succes la competiţii.

Rasa este, de asemenea, extrem de populară în fața căruțelor și a trăsurilor, fie în turism, fie în competițiile de conducere. Reprezentanții binevoitori ai rasei sunt, de asemenea, excelenți ca parteneri de agrement, tovarăși de călărie, precum și caii de familie, pentru copii sau de terapie. Specimenele încăpățânate, pe de altă parte, aparțin unor mâini mai experimentate și au nevoie să fie antrenate fizic și mental.

Hanoverian

General

Hanoverianul este, la nivel internațional, una dintre cele mai cunoscute și mai bine reprezentate numeric rase de cai de rasă warmblood. În plus, rasa hanoveriană este una dintre cele mai de succes rase în dresaj, sărituri și concursuri. Această rasă de cai și-a primit numele de la capitala Saxoniei Inferioare, Hanovra. Tot aici a început istoria creșterii rasei încă din secolul al XVI-lea. Inițial, Hanoverianul a fost folosit ca un cal de muncă în agricultură și în armată. De exemplu, fermierii foloseau caii în timpul săptămânii pentru agricultură, iar duminica pentru a-i duce la biserică într-o trăsură. Până în secolul al XIX-lea, hanoverienii erau mai degrabă grei și cu o construcție robustă, înainte de a fi perfecționați la armăsarul de stat cu ajutorul calului Trakehners și al cailor de rasă. După cel de-al Doilea Război Mondial și odată cu începutul industrializării, caii nu au mai fost atât de necesari, iar efectivul a scăzut rapid. Când sportul ecvestru a început să ia amploare, a fost reluată reproducerea și a fost creat calul de sport modern. Între timp, popularul warmblood este crescut în întreaga lume.

Exterior

Din punct de vedere vizual, Hanoverianul nu se deosebește de alte rase comune de rasă warmblood. Are un cadru foarte mare și o constituție atletică pentru a fi gata de acțiune în toate disciplinele. Această rasă poate crește până la 165 cm înălțime - aici se poate vedea clar influența pur sânge de pur sânge englezesc. Capul nobil, gâtul lung și bine conturat și spatele musculos completează imaginea armonioasă. Hanoverienii sunt disponibili în toate culorile de bază, și anume baian, negru, gri și castaniu. Foarte importante sunt mișcările de acoperire a solului și mișcările impunătoare. Aici se poate vedea clar leagănul, elasticitatea și eleganța rasei de cai.

Interior

Hanoverianul are un caracter foarte binevoitor și sociabil, ceea ce îl face un partener de încredere. Această rasă dă dovadă de o forță nervoasă enormă și de o mare dorință de a performa și de a învăța. Acesta este singurul motiv pentru care această rasă a fost întotdeauna capabilă să exceleze în sportul de top. Datorită fostei sale utilizări ca și cal militar, hanoverianul are mult curaj, calm, atenție și neînfricare. În plus, această rasă este foarte inteligentă și sensibilă. Este deosebit de populară în cel mai bun caz datorită sociabilității și naturii sale necomplicate.

Utilizați

Hanoverienii sunt polivalenți și pot fi găsiți în aproape toate disciplinele, datorită mersului lor minunat și dorinței de a face performanță. În sportul de înaltă performanță, această rasă este foarte des întâlnită la dresaj, sărituri și concursuri. Dar această rasă este, de asemenea, foarte potrivită ca și cal de agrement. Creșterea se concentrează în continuare pe cei mai buni cai de sport, dar în zilele noastre sunt crescuți și "atotcuprinzători" pentru sporturi mici și mijlocii. Dacă un Hanoverian este bine dresat, poate servi și ca un cal de lecție pentru începători. Nervii săi puternici și răbdarea sunt de mare ajutor. Din ce în ce mai des puteți vedea această rasă în fața trăsurii sau în arena western. Dacă nu sunteți descurajat de mărimea sa, acest cal este cu siguranță potrivit pentru toată lumea - fie în sportul de top, fie pentru agrement.

Indianbred

General

Indianbred se mai numeşte şi metisor indian şi este de fapt o încrucişare utilitară. Aceasta înseamnă că mai multe rase de cai au fost încrucişate între ele pentru un scop specific. În secolul al XX-lea, stăpânii coloniali britanici din India doreau să îşi facă caii de armată mai fini, mai vioi şi, de asemenea, mai agili şi mai rezistenţi. La baza rasei Indianbred se află rasele indiene Kathiawaris, Kabulis şi Baluchis. De-a lungul timpului, aceste rase greu de cunoscut au fost amestecate cu cai pur-sânge arabi şi cu cai australieni Waler. Astfel, stăpânii coloniali au obţinut caii de care aveau nevoie.

Exterior

Metisul indian are un cap nobil şi urechi în formă de seceră, precum şi un gât mai degrabă de lungime medie. Pieptul este relativ abrupt, iar spatele drept. Spatele puternic şi coada adânc înfiptă sunt deosebite. Înălţimea acestei rase este de 152 cm până la 162 cm. Din punct de vedere cromatic, toate culorile de bază sunt văzute, dar şi alte culori clare sunt binevenite.

Interior

Deoarece indienii de rasă sunt metişi, au un temperament aparte, dar sunt şi mai echilibraţi decât pur-sânii de rasă pură. Această rasă de cai este foarte inteligentă, precum şi robustă şi poate face faţă foarte bine căldurii. În consecinţă, aceşti cai sunt rezistenţi şi perseverenţi. Bunătatea şi dorinţa de a face performanţă caracterizează, de asemenea, această rasă.

Utilizaţi

Chiar şi astăzi, rasa Indianbred este crescută în principal în armată şi este folosită în armată. În plus, datorită forţei sale, serveşte şi ca animal de povară. Deşi este destul de rar ca un Indianbred să fie folosit în afara cavaleriei, această rasă este ocazional văzută ca un cal de sport, în special în concursuri. În principiu, nimic nu îl împiedică pe un călăreț ambițios de agrement să achiziționeze un Indianbred, dar majoritatea nu sunt vânduți în afara armatei.

Islandezii

General

După cum sugerează și numele, islandezul provine din Islanda, unde trăiesc și astăzi aproximativ 45.000 de cai islandezi. Se presupune că acești cai de talie mică au fost colonizați acolo în urmă cu 1000 de ani de către vikingi. În plus, se presupune că caii islandezi au fost creați prin încrucișarea raselor nordice și a cailor pur-sânge izolați. Calul islandez în sine a servit întotdeauna ca mijloc de transport, pe de o parte, dar și ca sursă de carne, pe de altă parte. Caii de călărie mai eleganți erau mai mult în nord, iar caii puternici pentru producția de carne mai mult în sud. Din 1940, însă, accentul a fost pus pe tipul de cal de călărie. În Islanda de astăzi, mulți dintre Isis încă trăiesc în mod tradițional peste vară în zone mari din zonele înalte și, prin urmare, sunt - în ceea ce privește vântul și vremea - foarte rezistenți. Islanda este foarte strictă în politica sa de reproducere. Nu este permis sângele străin și NICIUN cal nu poate fi importat în Islanda. Chiar și un cal islandez care este exportat nu se poate întoarce ulterior. Pe de o parte, acest lucru este pentru a păstra o reproducere pură, iar pe de altă parte, pentru a proteja animalele indigene de epidemii și boli. În afara Islandei, cei mai mulți cai islandezi se găsesc în Germania. La început, islandezii au fost crescuți acolo ca și cai de familie prietenoși. Între timp, însă, există o a doua ramură de creștere pentru a obține cai cu mers pentru competiții.

Figura 10: Islandezii blănoş i

Exterior

Cu o înălţime cuprinsă între 135 cm şi 150 cm, islandezul are un corp puternic, picioare robuste şi o coamă puternică. Caii islandezi sunt foarte drăguţi la privit, deoarece capul este de obicei oarecum mare, coama este groasă şi pufoasă, iar ochii sunt foarte prietenoşi. De asemenea, islandezul are un spate foarte puternic şi o blană densă. Varietatea de culori în rândul acestei rase este deosebit de încântătoare. În afară de petele tigrate, veţi găsi tot felul de culori de bază şi combinaţii de culori. Dacă ne uităm la mersul Islandezilor, trebuie să menţionăm că aceştia sunt cai cu mers. Acest lucru înseamnă că Isis poate avea o a patra şi o a cincea mers. Aproape toţi islandezii pot tolta. Acesta este un mers în patru timpi, asemănător cu un mers rapid şi deosebit de plăcut pentru a sta pe el. Unii dintre caii islandezi pot face şi pasul. Acesta este un mers foarte rapid şi o experienţă foarte specială.

Interior

Datorită rădăcinilor sale, calul islandez este foarte robust, dar și sigur pe sine. Se caracterizează prin dorința sa de a face performanță și prin lipsa de teamă. De asemenea, este obișnuit cu terenurile accidentate și dificile și, prin urmare, este foarte fiabil și loial ca și cal de călărie. Bineînțeles, există și caractere mai temperamentale. Veselia și curajul sunt la fel de mult în genele islandezilor ușor de călărit ca și fiabilitatea. Acesta este motivul pentru care sunt atât de populari. Această rasă are, de asemenea, un caracter puternic, precum și un grad ridicat de independență. Dar ei transmit și un sentiment de siguranță fiecărui călăreț. Bucuria de a se deplasa este la fel de mult în genele lor ca și percepția lor rapidă.

Utilizați

Mai presus de toate, islandezul este un cal de agrement foarte popular și de încredere. Datorită frugalității, robusteții și nervilor săi puternici, este, de asemenea, foarte potrivit pentru călăreții neexperimentați. În sectorul de hobby, Isis sunt adesea văzuți printre copii, tineri și adulți. Cailor islandezi le place să meargă rapid în afara drumului și, prin urmare, sunt potriviți și pentru plimbări lungi sau plimbări pe traseu. Între timp, însă, această rasă a ajuns și în sportul de competiție. În special în competițiile de mers, precum și în cursele de tölt și de trecere, vedeți adesea caii mici. Ocazional, caii islandezi pot fi văzuți și în fața unor trăsuri mici și ușoare.

Jutland

General

Jutland este o rasă de cai de muncă din Danemarca, foarte, foarte veche. În țara lor de origine sunt numiți și *"Jydsk"*. Creșterea acestei rase poate fi urmărită până în secolul al XII-lea. La acea vreme, rasa de cai danezi a fost crescută ca și cal de război. Jutlandul a fost întotdeauna un cal foarte robust și puternic, cu sânge rece. Începând cu secolul XX, Jutlandul a fost, de asemenea, rafinat cu cai britanici cu sânge rece, cum ar fi Cleveland Bay și Yorkshire Coach. Cu toate acestea, Jütländer a fost influențat în special de Suffolk Punch. Jutlandul își datorează construcția foarte grea și culoarea castanie izbitoare influenței acestei rase.

Exterior

Jutlandul este un cal cu sânge rece deosebit de greu și puternic, cu un craniu masiv și urechi prietenoase. Gâtul este mai degrabă scurt, iar umărul, precum și pieptul sunt largi și pronunțate. Corpul în sine este foarte compact și musculos și se îmbină într-o crupă foarte rotundă și puternică. Astfel, Jutlandul are o bază masivă cu picioare scurte și puternice. Atârnările masive de pe picioare sunt deosebit de remarcabile. Din punct de vedere al culorii, Jutlandul este aproape întotdeauna văzut ca un castaniu cu o blană lungă și ușoară. Astfel, coloritul său amintește de cel al unui Haflinger. Înălțimea sa este cuprinsă între 152 cm și 162 cm și poate cântări până la 800 kg. Specială este și acțiunea genunchilor acestei rase, care este foarte impresionantă mai ales la trot. Datorită aderenței lor spațiale - pentru un cal cu sânge rece foarte impresionantă - sunt, de asemenea, nobili la vedere, în ciuda sedentarismului lor.

Interior

Foarte tipic pentru un cal cu sânge rece, dispoziția calmă, bine echilibrată și muncitoare este evidentă și aici. Această rasă este extrem de prietenoasă și ascultătoare, precum și puternică și perseverentă. Sunt ușor de condus la muncă și se arată întotdeauna din partea lor cea mai bună. Jutlanderii sunt extrem de inteligenți, dar în majoritatea cazurilor nu folosesc acest lucru împotriva oamenilor. Sunt foarte ascultători și de încredere. Cu toate acestea, nu ar trebui să subestimeze aceste forțe puternice. Fără antrenament și îndrumare, își vor arăta energia și latura lor temperamentală.

Utilizați

Jutlandul nu mai este folosit de mult timp ca armăsar de război, iar utilizarea sa în agricultură este, de asemenea, din ce în ce mai redusă din cauza industrializării și mecanizării. Prin urmare, în prezent, el este din ce în ce mai mult folosit ca și cal de trăsură în turism sau pentru fabricile de bere. Cu toate acestea, datorită bonomiei sale și a mișcării sale foarte impresionante, poate fi văzut din când în când și ca cal de călărie printre fanii înrăiți ai calului de sânge rece.

Kladruber

General

Creșterea acestor cai baroci datează din 1572, când împăratul Maximilian al II-lea a fondat o fermă de armăsari în Kladrub, un oraș la est de Praga. La baza acestui armăsar se aflau caii andaluzi, care urmau să funcționeze ca cai de trăsură nobili pentru curtea vieneză. Pentru a extinde oarecum reproducerea, rasa a fost încrucișată cu câțiva napolitani, dar și cu Lipizzaneri. Mai târziu, după sfârșitul celui de-al Doilea Război Mondial, rasa a fost rafinată suplimentar cu Oldenburgeri, Hanoverieni și Anglo-Normanzi. Astăzi există două linii de creștere: Linia gri, care continuă să fie crescută în Kladrub, și linia neagră, care a fost păstrată la Slatinany Stud din 1799.

Exterior

Caii Kladruber sunt relativ mari, cu o înălțime cuprinsă între 160 cm și 170 cm. Au o construcție destul de solidă și un cap mare de berbec. Gâtul este așezat sus și oferă un garou pronunțat tipic. Spatele este scurt și drept și se îmbină cu o crupă rotundă și musculoasă. La fel ca întregul trunchi, picioarele sunt, de asemenea, puternice. Kladruber este întâlnit doar în gri și negru, în timp ce toate celelalte culori nu sunt permise. Tipic pentru caii baroci, Kladruber prezintă, de asemenea, o verticalitate elegantă, cu multă acțiune a genunchilor la trot și cu o mișcare ascendentă clară la galop. Astfel, caii robustă sunt foarte impunători și impresionanți.

Interior

Calul Kladruber este un cal cu maturitate târzie, ceea ce înseamnă că abia mai târziu decât alte rase este pregătit fizic și mental pentru a fi dresat și introdus în muncă ca animal de călărie sau de muncă. Apoi, totuși, este un cal foarte cuminte și prietenos, dar are și destul de multă energie și temperament. Cu toate acestea, caii masivi sunt, în principiu, foarte blânzi și ușor de manevrat.

Utilizați

Din nefericire, rasa Kladrubers s-a redus atât de mult încât rareori mai sunt văzuți. Ca și cai de spectacol, sunt la fel de impresionanți ca și atunci când sunt înhămați la o trăsură. Datorită blândeții lor, sunt recomandați și pentru școlile de echitație, pentru începători, copii sau familii.

Knabstrupper

General

Knabstrupper provine din Danemarca și este, de fapt, o linie secundară de reproducere a Frederiksborg. În 1536, în Frederiksborg a fost înființată o crescătorie de armăsari, iar acolo au fost crescuți cai iberici pentru a fi folosiți ca cai puternici de război, pe de o parte, dar și pentru liceu. În acea perioadă, un ofițer spaniol și-a vândut iapa pătată la Knabstrup Stud. Această iapă a fost apoi încrucișată cu un Frederiksborger și astfel s-a născut această rasă specială cu numeroase pete. Din acel moment, Knabstrup Stud a început să crească această nouă rasă. De atunci, rasa pătată a fost apreciată în toată Europa, iar regii și împărații, în special, au apreciat animalele pentru aspectul lor unic. Din nefericire, creșterea a luat sfârşit brusc în 1891, deoarece armăsarul a fost lovit de fulger şi mulţi cai au căzut victime ale flăcărilor. Abia în 1952 a fost reconstruit armăsarul. Chiar şi atunci, a fost nevoie de încă 20 de ani pentru a se înfiinţa o asociaţie oficială de reproducere pentru Knabstrupper. De asemenea, mulţi cai au fost vânduţi în Germania în acea perioadă. De atunci, s-au făcut încercări de a păstra atât tipul baroc, cât şi cel sportiv al Knabstrupperului şi de a menţine creşterea cu ajutorul unui sânge străin. Cu toate acestea, această rasă este ameninţată cu dispariţia. Adevăraţii fani ai Knabstrupper-ului depun, prin urmare, eforturi pentru a face această rasă mai bine cunoscută şi mai populară din nou.

Exterior

Astăzi, Knabstrupperii pot fi împărţiţi în trei linii de creştere: În primul rând, există Knabstrupperul baroc al rasei originale. Acesta are adesea un cap de berbec şi este echipat cu un spate puternic. În general, Knabstrupperul baroc este mai degrabă corpolent, dar totuşi elegant construit. Mişcările sale au o acţiune înaltă a genunchilor şi un anumit efect wow. Gâtul este aşezat sus şi oferă verticalitatea tipică şi elegantă. Knabstrupperul de tip cal de sport seamănă cu un cal de călărie drept, construit armonios. Capul pare, de asemenea, foarte nobil, corpul este în mod clar mai filigranat şi cu totul mai atletic construit. În al treilea rând, există Knabstrupper ca ponei, care este, de asemenea, foarte musculos şi are un format dreptunghiular.

Toate cele trei tipuri au în comun colorarea specială a blănii. Knabstrupperii apar exclusiv sub formă de picioare de tigru. Pot fi tigri Schabracktigers, tigri fulg de zăpadă, tigri unicolore, tigri născuţi în alb sau tigri completi. Aş dori să vă explic pe scurt acest lucru pentru ca să vă puteţi imagina această culoare specială a blănii:

1. Schabracktiger

   Un Schabracktiger are o blană maronie, neagră sau roşiatică în zona frontală. În zona din spate, însă, are o blană albă cu pete maro, negre sau roşii.

2. Fulg de zăpadă Tiger

   Tigrul fulg de zăpadă are o haină de bază maro, roşie sau neagră, cu pete şi petece albe. Astfel, arată cu adevărat ca şi cum calul ar fi acoperit cu fulgi de zăpadă.

3. Fuller

   Un tigru complet are o blană albă solidă şi pete distribuite uniform pe ea. Este posibil să cunoaşteţi calul din Pipi Longstocking. Era un Knabstrupper de tip full tiger.

4. Simplu şi alb Născut

   Există şi Knabstrupperi de culoare solidă, precum şi cei care s-au născut deja albi. Caii gri tipici sunt de fapt negri sau maro închis la naştere. Knabstrupperul alb pur este o adevărată specialitate în acest caz, deoarece el se naşte deja alb.

Figura 11 Portret al rasei Knabstrupper

La Knabstruppers se întâlnesc foarte des și organe genitale pătate, guri pătate - așa-numitele guri de broască, copite cu dungi, precum și pleoape pătate. De asemenea, nu este neobișnuit un iris cu margini albe.

Interior

Rasa Knabstrupper este caracterizată de cai foarte dornici să învețe, entuziaști în ceea ce privește munca și inteligenți. Se bucură de toate tipurile de muncă, dar sunt, de asemenea, foarte calmi și plăcuți de manevrat. Cu toate acestea, au nevoie de o mână experimentată, altfel învaţă lucruri neplăcute. Aici percepţia lor rapidă este adesea un mic dezavantaj. Astfel, Knabstrupperii care sunt plictisiţi pot dezvolta idei foarte idiosincratice şi nu întotdeauna pozitive. Astfel, această rasă nu este unică doar din punct de vedere vizual, ci şi din punct de vedere al caracterului.

Utilizaţi

Această rasă este ideală pentru oricine iubeşte varietatea şi doreşte să ofere acest lucru şi calului său. În funcţie de tipul de creştere, această rasă poate fi înhămată în faţa trăsurii, folosită ca un cal de agrement sau, de asemenea, călărită sub şaua western. Tipul baroc este deosebit de potrivit pentru şcoala înaltă de dresaj. Tipul sportiv sau tipul ponei este potrivit pentru toate scopurile de echitaţie, precum şi pentru sărituri, muncă la sol sau terapie. Knabstrupperii sunt foarte sensibili şi, prin urmare, sunt foarte populari ca şi cai pentru copii, începători sau pentru terapie.

Lipizzaner

General

În 1580, arhiducele austriac Carol al II-lea a cumpărat o vilă dărăpănată numită *Lipica pentru* a creşte acolo cai de spectacol şi de paradă pentru curtea vieneză. Piatra de temelie a creşterii a fost reprezentată de caii Karst, originari din zonă, care impresionau prin rezistenţa, forţa şi viteza lor. Aceştia au fost încrucişaţi cu armăsari şi iepe de prăsilă din nordul Italiei şi Spaniei. Ceva mai târziu, creşterea a fost extinsă pentru a include cai danezi din Frederiksborg. Începând din 1735, au fost încrucişaţi şi andaluzieni, iar la începutul secolului al XVIII-lea s-au făcut experimente cu încrucişarea cu arabi, deşi intenţia era de a păstra fizicul baroc. În prezent, se mai păstrează şase tulpini diferite ale rasei Lipizzaner. De asemenea, este interesant de remarcat faptul că, până în secolul trecut, Lipizzanerul putea fi văzut în toate culorile, în timp ce astăzi apare doar ca un cal gri, toate celelalte culori fiind complet dezirabile. Lipizzanerii Școlii spaniole de echitație din Viena sunt deosebit de cunoscuți. Aceștia au fost crescuți în cadrul Școlii Federale Austriece *Piber* din 1918. Acesta este situat în vestul Styriei și este deschis pentru vizitatori.

Exterior

Caii albi aparțin dezvoltatorilor târzii și nu sunt pe deplin dezvoltați până la vârsta de patru ani, cel mai devreme. Această rasă este compactă, cu un spate nu foarte lung și un cap mare, baroc. Gâtul este așezat sus și, de asemenea, conferă rasei atitudinea și erecția sa specială. Lipizzanerii se găsesc de obicei sub 160 cm și sunt destul de puternic construiți. Lipizzanerii se nasc maro sau negru și devin puțin mai deschis cu fiecare schimbare de blană până când dobândesc culoarea lor tipică, grațioasă, alb-argintie, la vârsta de 7-10 ani. Mișcarea acestei rase este caracterizată de o acțiune atrăgătoare a genunchilor, multă verticalitate și o putere de împingere ideală.

Interior

Un Lipizzaner este deosebit de sensibil și orientat spre oameni. Cu toate acestea, unele linii de reproducere pot fi uneori mai dificil de manevrat, deoarece aduc cu ele un temperament distinct. În general, aceștia sunt, de asemenea, foarte puternici. Împreună cu sensibilitatea lor, uneori au nevoie de un călăreț experimentat. De asemenea, deosebite sunt dorința mare de a învăța a cailor gri și entuziasmul lor deosebit pentru muncă. Astfel, ei înfloresc mai ales în liceu. Datorită mersului lor, grației și forței lor mentale, precum și a capacității lor de a înțelege lucrurile, sunt deosebit de populari în special printre călăreții cărora le place să lucreze și la lecții și care caută un cal de agrement sau de dresaj de lux.

Utilizați

Datorită tipului lor baroc, eleganței și, mai ales, a ținutei lor minunate,

Lipizzanerii sunt deosebit de potriviți pentru dresajul clasic până la High School. Aici caii înfloresc cu adevărat. Acești cai impresionanți sunt extrem de populari ca și cai de spectacol, dar această rasă este, de asemenea, frecvent întâlnită ca și cai de conducere. Dacă doriți să admirați Lipizzanerii în toată splendoarea lor, puteți face acest lucru la Școala de Echitație de la Curtea din Viena sau în Lipica, Slovenia. Pentru călăreții de agrement cu pretenții ridicate, caii albi sunt la fel de potriviți. Doar săriturile sunt mai puțin potrivite pentru animalele baroce.

Lusitano

General

Portugalia de astăzi a fost numită *Lusitania* de către romani în vremuri mai vechi, de unde provine și numele acestei rase. Lusitanul este strâns înrudit cu andaluzul și berberul. Zonele de reproducere, precum și fondul genetic al celor trei rase s-au suprapus foarte des. La acea vreme, caii erau crescuți în principal pentru luptele cu tauri călare în Portugalia și Spania. Cu toate acestea, atunci când regele Bourbon Filip al V-lea a interzis acest tip de coridă în Spania și a introdus corida la sol, liniile de creștere ale cailor iberici s-au schimbat. Andaluzii spanioli au continuat să fie crescuți mai mult ca și cai de călărie, în timp ce Lusitanii portughezi au continuat să fie crescuți ca și cai agili și puternici pentru lupte cu tauri, lupte corp la corp și herghelii. Abia din 1967 au fost ținute registre genealogice separate, iar Lusitanul este considerat o rasă independentă. În prezent, există aproximativ 10.000 de Lusitani de rasă pură. Rasa este de rasă pură și nu este rafinată în niciun fel de alte rase.

Exterior

Un Lusitano este un cal compact, cu un spate mai degrabă scurt și o înălțime cuprinsă între 155 cm și 165 cm. Rasa apare adesea ca fiind gri, deși toate celelalte culori de bază, precum și palominos și dun sunt, de asemenea, posibile. Lusitanii au o expresie foarte clară și un gât puternic, precum şi un piept larg. Spatele este la fel de musculos ca şi crupa, rezultând un aspect general armonios şi puternic. Mişcările acestei rase sunt înzestrate cu o acţiune înaltă a antebraţului. În plus, există o flexie bună a şoldurilor, o mare întindere şi multă forţă de tracţiune din spate.

Interior

Un Lusitano combină sensibilitatea cu temperamentul, ceea ce îl face un cal pentru călăreţii experimentaţi. Dacă un Lusitano are încredere în omul său, este un partener foarte orientat spre oameni şi docil. Ca un cal de călărie bun la suflet şi versatil, este foarte popular şi, în mâinile potrivite, este şi un adevărat cal de vis. Docilitatea şi curajul său sunt împerecheate cu un temperament înflăcărat, dar şi cooperant. Pe scurt, se poate spune că Lusitano este cu siguranţă un cal polivalent şi exigent, dar care inspiră imediat pe toată lumea prin capacitatea sa ridicată de concentrare şi prin nervii săi puternici. Să nu uităm de expresia şi de carisma minunată a calului, de care această rasă este bine cunoscută. Voinţa unui Lusitano nu trebuie subestimată. Dacă nu-şi cunoaşte suficient de bine omul, va prelua cu plăcere conducerea.

Utilizaţi

Această rasă este versatilă şi este folosită în principal ca un cal de agrement, cu mers bun. Agilitatea şi tăria sa de caracter îl fac foarte popular. Datorită aptitudinii sale pentru lupte cu tauri, Lusitano are, de asemenea, un grad ridicat de disponibilitate la monta, astfel încât poate fi folosit şi pentru dresaj înalt. El este deosebit de potrivit pentru Echitaţia de lucru, un stil de echitaţie de lucru care s-a dezvoltat din munca crescătorilor de vite. Sarcini de traseu. Un Lusitano stăpâneşte cu uşurinţă cursurile de îndemânare sau lucrările agricole. Această rasă este, de asemenea, ideală ca şi cal western sau de agrement. Aşadar, dacă vă place să lucraţi cu calul dvs. în mai multe moduri diferite, aveţi alături de dvs. un cal docil şi polivalent.

Menorquin

General

După cum sugerează și numele, Menorquin provine din insula Menorca și este crescut aproape exclusiv în crescătoriile de armăsari de pe insula Baleare. Doar foarte ocazional și abia dacă merită menționat, este crescut și în alte țări europene. Se știu puține lucruri despre originea acestei rase, dar se presupune că este strâns înrudită cu arabul, lusitanul și berberul. Uneori se presupune, de asemenea, că și caii pur-sânge englezi și caii francezi au avut o influență asupra dezvoltării acestei rase. Din cauza istoriei foarte schimbătoare a Menorei, este cel mult foarte probabil ca Menorquinul să aibă un ascendent și o genetică versatilă. Deși majoritatea cailor de pe insulă au fost folosiți mai mult în scopuri agricole, această rasă a fost o excepție. Din acest motiv și-a păstrat ușurința piciorului și eleganța, deoarece a fost întotdeauna folosit mai mult ca un cal de călărie. În prezent, există aproximativ 3500 de Menorquins - ceea ce înseamnă că această rasă este, din păcate, amenințată cu dispariția. În țara lor natală, totuși, acești cai sunt încă foarte populari și apreciați. Ei reprezintă, de asemenea, o moștenire culturală, ca să spunem așa, și sunt adesea călărit și prezentat în parade festive.

Exterior

Menorquinul mediu are o înălțime de 160 cm și o greutate de peste 500 kg. Rasa este un cal baroc, cu un gât musculos, o expresie alertă și o coamă puternică. Deosebit de izbitoare sunt picioarele lungi, aspectul zvelt și coada deosebit de lungă. Conformația în sine este foarte armonioasă și în mod clar mai puternică decât la arab. Puii din această rasă se nasc maro, caii adulți sunt exclusiv de culoare neagră închisă umbrită. Marcajele albe de pe cap, picioare și pasteri sunt permise într-o măsură mai mică. În ceea ce privește mișcarea, Menorquinul este foarte armonios, cu picioarele ușoare și elegant. Ipostaze ritmice, oscilante și o mare eleganță completează imaginea. Capacitatea Menorquinului de a bota este, de asemenea, deosebită. Acest lucru înseamnă că calul poate parcurge cu ușurință zeci de metri pe sferturi din spate. Acest lucru este foarte spectaculos de privit și aproape că pare că calul dansează deasupra solului. Menorquin este singura rasă din lume care are această abilitate.

Interior

Menorquinul combină tăria de caracter cu o inteligență ridicată și, prin urmare, este cunoscut ca fiind un cal afabil și dispus să învețe. Nu trebuie subestimată energia irepresibilă și zelul neîntrerupt al Menorquinilor, astfel încât aceștia sunt deseori puțin prea motivați și înflăcărați. În ciuda temperamentului lor, însă, calmul și concentrarea lor sunt remarcabile, astfel încât acești cai nu lasă nimic să îi scoată din calm și calm. Un Menorquín combină calitățile unui sportiv cu sensibilitatea unui animal sensibil. Siguranța lor și lipsa de teamă sunt, de asemenea, o trăsătură esențială a acestei rase.

Utilizați

Deoarece majoritatea Menorquinilor trăiesc încă în țara lor natală, ei sunt folosiți acolo în dresajul clasic sau în spectacole și parade. Așadar, dacă se întâmplă să vă aflați în Menorca în timpul verii, puteți admira această rasă la evenimentele populare. Această rasă de cai are întotdeauna o apariție spectaculoasă. Perlele negre sunt, de asemenea, folosite pentru concursuri și jocuri ecvestre. În mod tradițional, există, de asemenea, dansul menorchin. În concordanță cu muzica, aici caii își arată abilitatea de a bota. În afară de aceste spectacole de spectacol și de dresaj, Menorquin este potrivit și ca cal de sport sau de agrement: sărituri, dresaj, ieșiri la plimbare sau condus - poate fi folosit peste tot.

Missouri Fox Trotter

General

Missouri Fox Trotter este cunoscut de mai bine de 150 de ani și a fost inițial crescut în Munții Ozark din Missouri și Arkansas. Coloniștii de acolo aveau nevoie de cai care să fie ușor de călărit și, mai ales, rezistenți și siguri pe ei, deoarece terenul era foarte accidentat, impracticabil și abrupt. Rasa Fox Trotter are o predispoziție naturală pentru așa-numitul Fox Trot, un al patrulea mers. Acest lucru a fost încurajat și mai mult prin reproducere. Foxtrotul s-a dovedit a fi foarte favorabil pentru a transporta încărcături și călăreți relativ rapid pe terenul muntos. Datorită mersului lor special, crescătorii de vite, șerifii și medicii de țară, în special, au găsit o mare favorabilitate la aceste animale. Chiar și după ce mulți au trecut la mașină, rasa a continuat să fie crescută pentru munca la fermă. Astăzi, această rasă este puternic reprezentată în întreaga SUA ca și cal de rută și de agrement. Pădurarii forestieri din SUA încă mai folosesc Fox Trotter în rezervația naturală Yellowstone. Dacă se adună caii din SUA, dar și din Canada, Europa și Israel, se ajunge la o populație actuală de 89.000 de cai. În Europa, însă, ei sunt cunoscuți doar de aproximativ 25 de ani, când au fost prezentați la Equitana din Berlin. Cu toate acestea, Fox Trotter rămâne destul de exotic în Europa, cu o populație de 650 de cai. Aici s-au stabilit crescători mai mici, în special în Germania, Austria și Elveția.

Exterior

Missouri Fox Trotter este un cal foarte expresiv, cu o înălțime medie de aproximativ 142 cm până la 163 cm. Capul este foarte fin, urechile mai degrabă mici, iar ochii alerți și mari. În special pieptul și spatele sunt bine definite. Articulațiile sunt foarte rezistente, iar copitele formează o bază puternică. Missouri Fox Trotter apare în toate culorile, modelele și nuanțele de bază. Mersul acestei rase este mai degrabă plat, dar vioi și, prin urmare, foarte ușor de așezat. Galopul este, de asemenea, foarte moale și confortabil. Special, însă, este foxtrotul, care este un amestec între mers și trot. Mai simplu spus, picioarele din față fac un mers care acoperă terenul, în timp ce picioarele din spate trotează. Caii sunt destul de rapizi, dar călărețul stă extrem de stabil și confortabil. Aici vă simțiți în siguranță și puteți parcurge rapid distanțe lungi.

Interior

Foxtrotter este foarte puțin pretențios și este dispus să muncească. Este un cal extrem de sociabil, cu o dorință sănătoasă de a se mișca. Această rasă este dispusă să facă performanță, are o bună abilitate off-road și este, de asemenea, rapidă în mișcare. În același timp, însă, calul rămâne întotdeauna lucid și controlabil. Datorită sociabilității sale, este foarte popular, chiar dacă este puțin cunoscut în Europa. Uneori, nevoia de mișcare este confundată cu agitația. Cu toate acestea, acești cai nu sunt deloc agitați, dar trebuie să vă obișnuiți la început cu mersul lor rapid în mod natural.

Utilizați

În SUA, Fox Trotter este încă folosit adesea ca și cal de muncă. Departe de acest lucru, el este un cal de drumeție și de călărie foarte apreciat, care adoră să fie în mediul rural și să își dovedească pasul sigur și anduranța. Fox Trotter este ideal pentru plimbări mai lungi pe traseu sau pentru plimbări de anduranță, dar și ca un cal western. Din când în când, puteți găsi și adevărați artiști ai săriturilor printre reprezentanții acestei rase.

New Forest Pony

General

Originea acestei rase de ponei datează din secolele al X-lea și al XI-lea. În insulele britanice, unii ponei sălbatici de mlaștină trăiau în pădurile din regiunea Southampton. Această pădure a fost numită *"New Forest"* de către regele William Rufus, de unde și numele poneilor. Poneii de mlaștină s-au încrucișat mai întâi în mod sălbatic cu diverse alte rase înainte de a se încrucișa în mod deliberat și intenționat cu ponei de rasă Thoroughbred și arabi pentru a produce ponei ceva mai eleganți și mai mari. Cu toate acestea, abia în secolul al XIX-lea a fost stabilită o metodologie de reproducere precisă, iar începând cu 1930 a fost ținut un registru genealogic. În anii 1960, poneii din New Forest au fost importați pentru prima dată în Germania, unde au continuat să fie crescuți în crescătoriile din Bavaria, Weser-Ems-Land și Schleswig-Holstein. De atunci, poneiul New Forest Pony a fost foarte popular ca și cal de călărie pentru copii și tineret. Până în prezent, 2500 de ponei trăiesc încă în stare semisălbatică în pădurile originale, New Forests.

Exterior

Astăzi, poneiul New Forest Pony este păstrat în două linii de creștere diferite. Există un ponei de tip A cu o înălțime de aproximativ 143 cm și un ponei de tip B cu o înălțime de 122 cm. Cu toate acestea, tipul A este mult mai popular, deoarece poate fi călărit și de tineri mai înalți. În cel mai bun caz, rasa are un cap nobil, cu o frunte largă și are ochi foarte expresivi. Constituția este armonioasă și puternică, dar nu greoaie. Acest lucru îi conferă acestui ponei o impresie sportivă. Culoarea blănii poneilor este foarte variată, astfel încât, cu excepția piebald, tiger și palominos, toate culorile sunt reprezentate. Marcajele, însă, sunt destul de puțin dorite. Mișcările elastice și foarte acoperitoare de sol ale poneilor sunt impresionante. Acțiunea plăcută a genunchilor, împingerea din spate și un mare talent pentru mișcare fac ca poneii să strălucească. De asemenea, sunt foarte agili și siguri pe picioare.

Interior

Prietenia și bunătatea - aceste două caracteristici îl disting pe New Forest Pony ca fiind un cal excelent pentru copii și pentru familie. Sunt foarte dornici de performanță, dar rămân calmi, calmi, calmi, dispuși și mai presus de toate necomplicați. Sunt foarte curioși și învață repede, dar nu își exploatează inteligența într-un mod negativ. Acești ponei sunt parteneri foarte de încredere și siguri.

Utilizați

Ca un cal de familie, ponei pentru copii sau ca un cal pentru începători, această rasă este o alegere foarte bună. Datorită naturii sale prietenoase, combinată cu bucuria de mișcare, într-adevăr toată lumea se distrează cu acești mici tovarăși. În plus, această rasă poate fi folosită în aproape toate scopurile. Puteți vedea această rasă ca un cal de rută, la concursuri de dresaj și sărituri, la plimbări pe traseu, ca un cal de trăsură sau chiar ca un cal de polo și de vânătoare. Pe scurt, acest ponei este un adevărat polivalent. În special pentru copii, tineri și începători care sunt interesați de multe discipline diferite, această rasă poate fi foarte recomandată.

Noriker

General

Creșterea rasei Noriker a început încă din epoca romană, în provincia de atunci Norikum, în actuala Carintia austriacă. Când armata romană a trecut Alpii cu caii lor de război foarte grei, s-a schimbat și fizicul cailor. Astfel, calul de război a devenit un cal puternic de munte, cu sânge rece, care a fost din nou folosit în Evul Mediu, în special ca cal de tracțiune și de muncă. În timpul Renașterii, Biserica, și mai ales arhiepiscopii din Salzburg, au devenit interesați de această rasă și au început o creștere ordonată. Între secolele XVII și XIX, au fost încrucișate numeroase rase: napolitani, Kladruber, andaluzi, belgieni, normanzi, Clydesdales, Oldenburgers, Holstein și Clevelands - pentru a numi doar câteva. Stabilită în 1884, totuși, rasa Noriker este considerată de rasă pură. Principala zonă de reproducere este în continuare Austria, dar și părți din Bavaria.

Exterior

Norikerul este un cal cu sânge rece, de greutate medie şi grea, care cântăreşte între 700 şi 800 kg şi poate atinge o înălţime de 155 cm până la un maxim de 165 cm. Capul este tipic rustic cu sânge rece, cu ochi de bun simţ. Gâtul este la fel de puternic ca şi pieptul. La fel ca majoritatea cailor cu sânge rece, Norikerul prezintă despicătura tipică la nivelul crupei, motiv pentru care fesele apar distincte. Robust, puternic şi rezistent descrie cel mai bine constituţia lui Noriker.

Această rasă se prezintă în toate culorile şi nuanţele posibile. Aici se poate ajunge şi la pieptare şi capete de mori. Înmulţirea cu tiger pinto poate produce foarte rar pui albi, care sunt atunci deosebit de populari şi rari. Mersul unui Noriker este sigur pe picioare, uniform şi cu paşi mari. Tactul acestei rase este deosebit de pronunţat, dar agilitatea sa este, de asemenea, excepţională pentru un cal cu sânge rece. Rasa este înzestrată în plus cu o bună stabilitate şi un echilibru suficient.

Interior

Norikerii se caracterizează mai ales prin nervi tari şi calm. Ei sunt foarte echilibraţi, de încredere şi cu un caracter bun. Au tendinţa de a se mişca destul de greoi, dar sunt totuşi foarte puternici. O comparaţie amuzantă este cu un tractor: un tractor tinde, de asemenea, să se miște încet, dar cu o putere puternică. Vă puteţi imagina Noriker-ul în acelaşi mod. Ar trebui să se sublinieze capacitatea lor de off-road şi dorinţa de a munci.

Utilizaţi

În principiu, un Noriker este un cal de povară şi, prin urmare, este folosit ocazional în silvicultură pentru a muta lemnul. Aici poate trage trunchiurile de copaci cu pasul său puternic şi le poate transporta în siguranţă în afara pădurii. Caii Noriker sunt, de asemenea, folosiţi ca şi cai de trăsură sau pentru diverse evenimente şi parade tradiţionale, în special în Austria.

Între timp, însă, această rasă a devenit mai populară şi în rândul călăreţilor de agrement. Astfel, puteţi vedea în special reprezentanţi ai rasei, cu o constituţie ceva mai uşoară, în special ca şi cai de agrement şi de călărie. Pentru ieşirile la plimbare sau ca şi cal de familie sau de terapie, Noriker este la fel de potrivit ca şi un partener confortabil.

Oldenburg

General

Principala zonă de reproducere a rasei de cai cu acelaşi nume se află în oraşul Oldenburg din nordul Germaniei. Creşterea acestei rase a început acolo încă din secolul al XVII-lea, deşi la acea vreme se creşteau cai mult mai puternici. Această ramură originală a Oldenburgului, ceva mai corpolentă, se numeşte Old Oldenburg sau East Friesian. La început, animalele robuste erau folosite ca cai de tracţiune pentru trăsuri grele sau căruţe. Mai târziu, însă, Oldenburg a devenit din ce în ce mai mult un cal de sport, ceea ce se poate observa şi în statura sa. Separarea dintre vechiul Oldenburg şi Oldenburg a început atunci când influentul conte Anton Günther von Oldenburg s-a apucat de creşterea Oldenburgilor sportivi. Diverse alte rase, cum ar fi Hanoverians, Holstein sau chiar cai de rasă, au fost folosite pentru rafinament.

Exterior

Oldenburgerii sunt cai de sport tipici, cu o coamă largă şi muşchi bine dezvoltaţi. Această rasă are picioare foarte lungi, un garou proeminent şi un spate musculos. Capul este elegant, iar capul de berbec, anterior tipic, abia dacă se poate observa. Mărimea stocului acestei rase este cuprinsă între 165 cm şi 179 cm, deşi pot fi găsiţi şi reprezentanţi mai înalţi ai acestei rase. Culorile de bază maro, castaniu, negru şi gri sunt des întâlnite, piţigoiul mai rar. Coada este aşezată sus şi îi conferă Oldenburgului un aspect foarte nobil. Oldenburgerii au mişcări pline de tact, care acoperă terenul şi o bună împingere din spate. În funcţie de faptul că sunt crescuți mai mult pentru dresaj sau pentru sărituri, există diferențe minime în mișcarea calului.

Interior

Rasa originală de Old Oldenburger avea nervi de oțel, reacționa întotdeauna cu luciditate și uneori părea chiar mai degrabă flegmatic. Acest lucru nu mai are nimic de-a face cu rasa de cai de sport Oldenburger de astăzi. Datorită încrucișării cu cai de rasă, Oldenburgerii de astăzi sunt sensibili și, de asemenea, mai temperamentali. De remarcat în mod deosebit este orientarea către om și modul intim în care acești cai sunt atașați de proprietarii lor. Datorită naturii lor prietenoase și cuminți, le plac foarte mult și copiii și sunt foarte atenți atunci când au de-a face cu ei. Obiectivul de creștere al rasei este în continuare acela de a produce cai dornici de performanță, dar și necomplicați. Acest lucru este vizibil și atunci când se manevrează un Oldenburg. Totuși, datorită încrucișărilor dintre diferite rase, un Oldenburg poate fi, desigur, foarte diferit ca și caracter de altul.

Utilizați

Fostul cal de muncă este acum crescut ca un cal de sport pur. În acest caz, se face o altă distincție între liniile de creștere pentru dresaj și cele pentru sărituri. Datorită caracterului lor echilibrat și a performanțelor puternice, caii Oldenburg sunt adesea văzuți la competițiile internaționale. Acești cai warmbloods destul de mari sunt deosebit de populari la sărituri, datorită inteligenței și îndemânării lor pe traseu. Cu toate acestea, această rasă poate fi folosită și ca un cal de agrement, atâta timp cât este antrenat fizic și mental.

Orlov Trotter

General

Trotterul Orlov este cea mai faimoasă rasă de cai din Rusia și are o poveste de origine interesantă. Favoritul țarinei a II-a dorea un cal de trăsură deosebit de rapid pentru distanțele lungi dintre el și logodnica sa. Așa că a început în 1775, la armăsarul său din Ostrow, în apropiere de Moscova, creșterea inițială a trotterului Orlov, unde a încrucișat un armăsar arab cu o iapă Frederiksborg. Armăsarul rezultat a fost apoi încrucișat cu o iapă olandeză Harddraver. Astfel a rezultat armăsarul de bază al trotterilor Orlow de astăzi. El a acoperit în principal iepe de rasă arabă și pur sânge englezesc, precum și iepe din Țările de Jos, Danemarca și Mecklenburg. Puțin mai târziu, trotterul Orlow a fost numit și cel mai rapid cal de trot din lume. Din nefericire, creșterea a luat sfârșit brusc din cauza războiului și a Revoluției din Octombrie din 1917. Uniunea Sovietică a început încercările de reînnoire a rasei, dar vremurile cele mai bune sunt în spatele acestei rase. Prin încrucișarea cu Standardbred american, Trotterul Orlov a devenit Trotterul rus mult mai rapid.

Ilustraț ie 12Calul Orlov Trotter alb

Exterior

Cu o înălțime cuprinsă între 150 cm și 170 cm, trotterul Orlov face parte din categoria cailor mari și este foarte bine construit. Gâtul este lung și legănat, iar spatele la fel de lung și musculos. Musculatura bună a crupei permite o bună împingere din spate. Coada este înaltă și elegantă. Rasa este întâlnită în principal în culoarea Schimmeln, dar și celelalte culori de bază sunt frecvent întâlnite. În ceea ce privește mișcarca, trotul este în mod clar cel mai pronunțat în această rasă. Un bun trotter Orlov poate atinge viteze de până la 50 km/h. Cu toate acestea, el este încă în urma trotterului Orlov. Cu toate acestea, el este încă în urma Standardbred-ului american.

Interior

Deoarece trotterul Orlov nu mai este foarte comun, nu se pot spune prea multe despre caracterul său. Cu toate acestea, această rasă este cu siguranță foarte perseverentă, dornică de performanță și plină de viață. La fel ca majoritatea raselor de cai de curse, aceasta este foarte sprintenă și este orientată spre alergare rapidă. Bineînțeles, trebuie să fii capabil să faci față acestei energii pline de viață.

Utilizați

Trotterul Orlov este deosebit de popular ca și cal de tracțiune în fața unui sulky, a unei trăsuri sau a unei sănii. Acesta este și rămâne principalul său domeniu de utilizare, în special în țara sa de origine. Bineînțeles, poate fi și călărit, dar aici este cel mai probabil să fie folosit ca un cal de traseu sau de anduranță.

Palomino

General

Calul Palominos face parte din categoria cailor occidentali și a fost adus probabil în SUA de către conchistadorii spanioli. Un număr mare dintre acești cai importați au scăpat și astfel s-au dezvoltat câteva turme mari, sălbatice. Cu toate acestea, culoarea specială a soarelui a acestei rase i-a atras atât de mult pe cowboy-ii din țară încât au capturat cei mai frumoși cai și au înființat o crescătorie cu aceștia. Astfel, pentru o lungă perioadă de timp, creșterea palomino a fost pur și simplu o creștere de culoare. Nu era vorba despre anumite trăsături de caracter pe care se dorea să le păstreze sau despre anumite rase pe care se dorea să le folosească, ci pur și simplu despre continuarea păstrării culorii speciale Isabell. Pentru o vreme, chiar și în Spania, doar familia regală avea voie să păstreze și să călărească palomini.

Exterior

Un Palomino are o înălțime de cel puțin 120 cm, dar, în funcție de linia de reproducere, poate crește considerabil mai mult și poate fi considerat un cal mare. Caracteristica tipică a acestei rase este, bineînțeles, culoarea aurie, însorită, precum și coama și coada alb-argintie. Indiferent dacă este în format ponei sau cal mare - un cap expresiv cu o expresie clară este important. Conformația trebuie să fie armonioasă, astfel încât calul să poată fi folosit ca un cal polivalent. Caracteristic este, de asemenea, un spate bine mușchiat și o crupă musculoasă. Dezirabil, însă, este un corp stângaci, prea robust sau un cap grosolan. Mersul acestei rase este vioi, cu o bună acoperire a terenului și este, de asemenea, curat și vioi. Strict vorbind, trebuie spus că Palomino nu este cu adevărat o rasă, ci o denumire de culoare. Deoarece nu sunt crescuți în funcție de tip, Palomino diferă foarte mult în ceea ce privește aspectul lor, în funcție de faptul că sunt crescuți dintr-un cal arab, Morgan sau Quarter Horse.

Figura 13: Cal palomino

Interior

În funcție de linia de creștere, caracterul unui palomino este foarte individual. În principiu, însă, aceștia tind să aibă nervi puternici și o natură impecabilă și sociabilă. Fiabilitatea și echilibrul, precum și rezistența fizică și psihică îi caracterizează pe palomini, precum și o sănătate stabilă.

Utilizați

Un Palomino este un cal western clasic, în special atunci când este încrucișat cu Quarter Horse. În general, el poate fi văzut și în munca pe traseu sau la plimbări pe distanțe lungi. Datorită naturii sale bune, este popular și ca un cal de familie și de agrement.

Percheron

General

Percheron este una dintre cele mai vechi rase de cai din Franța și își are originea în regiunea de nord-vest a Franței, numită *La Perche*. De fapt, aceşti cai puternici se trag de la arabi, deoarece iepele autohtone au fost deja încrucişate cu armăsari arabi în Evul Mediu. Astăzi, cu greu ne putem imagina acest lucru cu tipul foarte greu cu sânge rece. Acest tip robust s-a dezvoltat de-a lungul timpului, în special în secolul al XIX-lea, când agricultura a devenit din ce în ce mai importantă şi era nevoie de cai puternici de muncă şi de tracţiune. Astfel, a fost creată o rasă de cai de muncă masivi şi puternic musculoşi.

Percheronii au fost folosiţi în agricultură, de la recoltare la transport. Începând cu secolul al XX-lea, puternicii cai au început să fie exportaţi în întreaga lume. În timpul Primului Război Mondial, Percheronii au fost folosiţi şi ca cai militari pentru o scurtă perioadă de timp, după care au devenit populari ca cai de agrement. Astfel, rasa este răspândită şi astăzi, în special în Franţa, America de Nord, Japonia, Marea Britanie şi Rusia.

Ilustraţ ie 14Percheron, în vârstă de 5 ani, rasa cal de tracţ iune

Exterior

Fiind un cal greu cu sânge rece, Percheron cântăreşte între 500 kg şi 1200 kg, în funcţie de tipul rasei, şi are o înălţime cuprinsă între 155 cm şi 185 cm. Așadar, vedeți, acești cai pot deveni adevărați colos. Există două tipuri de bază de Percheron. Tipul foarte greu se numește *Le Trait Percheron* și este masiv, mare și musculos. El întruchipează un cal de muncă robust. Tipul mai ușor se numește *Le Diligencier Percheron și este, de* asemenea, folosit ca și cal de călărie. Cu toate acestea, ambele tipuri au în comun caracteristicile de bază: ochi atenți, nări mari, precum și un piept larg și un spate scurt. Kötenbehang-ul este, de asemenea, foarte caracteristic pentru Percheron. Caii gri sunt predominanți în această rasă, deși sunt acceptate toate nuanțele de gri și negru. Deoarece Percheronul a fost întotdeauna un animal de fermă care muncește din greu, el se arată dornic și harnic în toate activitățile. Mersul și trotul sunt foarte impunătoare, energice și persistente. Galopul este foarte puternic din cauza masei sale și nepotrivit pentru distanțe lungi.

Interior

În ciuda masei sale impunătoare și a aspectului puternic, un Percheron este foarte cumsecade și, de asemenea, inteligent. Interesant este faptul că puternicul animal nu este nicidecum sedat, ci destul de nerăbdător și adesea hiperenergetic. Temperamentul său este admirabil. Cu toate acestea, această rasă este ușor de reglat și sociabil. Datorită fiabilității lor ridicate, sunt foarte populare ca parteneri de echitație și de conducere.

Utilizați

Percheronii se descurcă mai ales în agricultură și silvicultură sau sunt adesea înhămați la trăsuri. Ei înfloresc în fața vagoanelor de berărie sau în competițiile de trenuri și impresionează prin performanțele lor. Cu toate acestea, sunt din ce în ce mai mult folosiți și ca cai de agrement. În special tipul ceva mai ușor este un partener de încredere pentru plimbări de agrement, călăreți ceva mai puternici, dar și pentru familii.

Quarter Horse

General

Calul Quarter Horse are o origine foarte diversă, rezultată din încrucişarea şi influenţa mai multor rase de cai diferite. Cuceritorii spanioli au adus în America, în secolele al XVI-lea şi al XVII-lea, cai orientali precum andaluzii, berberii şi arabii. Pe de altă parte, coloniştii europeni au adus în SUA mai ales percheroni, ponei irlandezi şi cai de rasă pură englezi. La acea vreme, caii indigeni erau aproape complet dispăruţi în America de Nord. Prin amestecul diferitelor rase importate, Quarter Horse a apărut treptat ca prima rasă de cai nord-americană. Astfel, Quarter Horse a fost o rasă independentă încă din secolul al XVIII-lea. Coloniştii europeni, în special, adorau pariurile pe cai şi au introdus aşa-numitele Quarter Mile Races. Acestea erau curse de cai în care doi Quarter Horses se întreceau unul împotriva celuilalt pe o distanţă de 400 de metri. Calul Quarter Horse original era foarte rapid şi, prin urmare, era un cal de curse ideal. În plus, însă, a fost folosit şi în ferme ca şi cal de muncă, de tracţiune şi pentru vite. Popularitatea acestei rase a continuat să crească, iar astăzi Asociaţia americană a crescătorilor de cai Quarter Horse este cea mai mare asociaţie de crescători din lume.

Exterior

Rasa se caracterizează prin cai de călărie puternici, cu o construcţie impunătoare, care au de obicei o înălţime cuprinsă între 145 cm şi 165 cm. Capul scurt şi cuneiform pare nobil, ochii vioi, iar urechile mici şi castanii. Gâtul are o linie superioară şi o linie inferioară distinctă şi musculoasă, dar şi pieptul, umerii şi spinarea sunt de obicei puternic dezvoltate. În principiu, un Quarter Horse poate părea a fi un mic motor cu muşchi clar vizibili. O masă musculară de bază considerabilă este inerentă fiecărui Quarter Horse şi, cu un antrenament adecvat, această rasă este o adevărată piesă de spectacol musculoasă. Dacă ne uităm la culoarea hainei, ne frapează imediat varietatea de culori, nuanţe şi modele. De asemenea, este interesant de știut că există diferite linii de reproducere a Quarter Horses. Există *Reiners* musculoși, dar mai mici, care sunt utili pentru munca la fermă sau ca cowboy. Apoi există *caii de vacă* musculoși, care au forță și rezistență pentru munca cu vitele. Nu în ultimul rând, există *vânătorii* mai eleganți, cu o componentă de pur-sânge, care sunt folosiți mai mult pentru conducere și vânătoare. În ceea ce privește mersul, trebuie menționat așa-numitul jog, care este un trot foarte lent. Viteza de mers, dar și agilitatea sunt, de asemenea, demne de menționat.

Interior

În lume există peste cinci milioane de cai Quarter Horses. Astfel, această rasă este cea mai numeroasă rasă din întreaga lume și este considerată a fi cel mai popular cal western prin excelență. Rasa captivează din plin prin farmecul, sociabilitatea și dorința de a face performanță. Un Quarter este un cal foarte prietenos, bine echilibrat, care își poate arăta cu siguranță energia, dar care reacționează întotdeauna foarte fin la călărețul său. Datorită nervilor săi puternici și a naturii sale binevoitoare, nu este fără motiv că este atât de popular.

Utilizați

După cum s-a menționat deja, calul Quarter Horse este foarte popular în lumea Western. Indiferent de disciplina western pe care doriți să o practicați ca călăreț: un Quarter Horse strălucește în toate domeniile. Datorită diferitelor linii de reproducere, toată lumea își poate găsi un partener potrivit. De asemenea, este interesant de remarcat faptul că un Quarter Horse poate excela și ca un cal de agrement în stilul de echitație englezesc sau ca un cal de sărituri și de conducere. Pe scurt, Quarter este un adevărat cal polivalent pentru toată lumea.

Renanii

General

Rasa Rhinelander a apărut abia spre sfârșitul secolului al XIX-lea, în - așa cum era de așteptat - Renania. La acea vreme, Rinocerul era folosit în principal ca și cal de povară și, prin urmare, a fost crescut cu sânge rece. Totuși, acest obiectiv de creștere s-a schimbat la mijlocul secolului XX. În acel moment, cererea de cai de sport și de călărie a devenit din ce în ce mai mare, motiv pentru care creșterea Rhinelander-ului a fost adaptată în acest sens. Acesta a fost încrucișat cu rase de cai warmblood, cum ar fi Hanoverianul și Trakehner, dar și cu cai de rasă. Astfel a luat naștere Rhinelander ca rasă de cai warmblood pentru agrement și sport. În decursul timpului, au fost încrucișați și armăsari englezi și andaluzi.

Exterior

Rhinelander are o talie destul de variabilă, astfel încât se pot vedea cai din această rasă cu dimensiuni cuprinse între 162 cm și 175 cm. Gâtul este ușor, spatele este stabil, iar spinarea este puternică. Atârnările sunt mai degrabă blânde. Renanii apar în toate cele patru culori de bază și, așa cum este tipic pentru caii de rasă warmbloods, au o ținută vioaie și multă acoperire a terenului. Astfel, rinocerul a devenit un cal de sport tipic din punct de vedere al aspectului, în care nu se mai poate recunoaște sângele rece original.

Interior

Această rasă are un temperament extraordinar și un caracter puternic. Cu toate acestea, un Rhinelander este un animal foarte prietenos și de încredere. Datorită creșterii sale ca și cal de sport, se recunoaște imediat inteligența ridicată și expresivitatea deosebită a Rhinelander-ului. Orientarea spre performanță și dorința de a munci a Rhinelanderului îl fac un partener excelent, la fel ca și afecțiunea sa pentru oameni. De asemenea, ar trebui menţionat aici că îi plac copiii şi este răbdător cu călăreţii începători.

Utilizaţi

Fie că doriţi să concuraţi în turnee mici cu Rhinelander ca un călăreţ de hobby, fie că sunteţi activ în sportul internaţional ca un călăreţ profesionist: vă veţi bucura de ambele variante cu această rasă. Talentul special pentru dresaj şi sărituri îl face o alegere bună pentru călăreţii de competiţie ambiţioşi. Rhinelander impresionează şi ca şi cal de agrement, dar în toate cazurile trebuie să fie suficient de provocat şi antrenat. Datorită istoriei sale de creştere, această rasă este încă adesea înhămată în faţa trăsurilor, fie pentru o plimbare relaxată cu trăsura, fie sub forma unor concursuri de conducere şi spectacole de prezentare.

Cal cu sânge rece renano-vestalian

General

Istoria creşterii rasa Rhenish-Westphalian Cold Blood sau, de asemenea, Rhenish-German Cold Blood datează din anul 1892. La acea vreme, în regiunea renană era nevoie de cai grei cu sânge rece pentru agricultură. În acest scop, au fost importaţi şi încrucişaţi între ei Brabanţi belgieni şi Ardeleni. Această rasă nou creată a fost atât de populară, încât reproducerea a fost extinsă şi în Westfalia, iar în anii 1930, aproape fiecare al doilea cal era un Rhenish-Westphalian cu sânge rece. Din păcate, populaţia a scăzut rapid din cauza industrializării şi a celui de-al Doilea Război Mondial. În prezent, există doar foarte puţini reprezentanţi ai acestei rase, care sunt folosiţi pentru tăierea copacilor care salvează pădurile. Astfel, această rasă se află în continuare pe Lista Roşie a speciilor de animale pe cale de dispariţie.

Exterior

În ciuda dimensiunii sale de 160 cm până la 170 cm și a masei sale ample, corpul acestui câine cu sânge rece este în armonie. Capul este mare, cu ochi foarte prietenoși. Tipic pentru un cal de tracțiune, câinele de rasă rhenish-germană Coldblood are, de asemenea, umerii înclinați și o crupă rotunjită cu o musculatură bună. Alte caracteristici sunt, de asemenea, atârnările luxuriante de pe pasteri, precum și coama stufoasă și coada densă. Această rasă cu sânge rece este deosebit de puternică și cântărește cu ușurință 1000 kg. Această rasă poate fi văzută ca fiind de culoare maro, maro închis, albastru sau castaniu cu părul lung și deschis. Mișcările sunt extrem de puternice și impresionante. În special mersul și trotul sunt impunătoare și expresive. În ciuda masei sale, trotul pare excepțional de acoperitor de teren și fluid.

Interior

Caracterul calului cu sânge rece renano-westfalian ar trebui subliniat pentru bucuria sa de a munci și pentru solidaritate. Aici acest colos de cal înflorește cu adevărat. Datorită firii sale bune și nervilor puternici, este manevrabil în toate situațiile și nu își folosește forța în mod negativ. Calul mare și puternic are un caracter foarte cinstit, de încredere și iubitor.

Utilizați

Foarte rar, acest cal cu sânge rece este încă folosit în silvicultură, unde își poate atinge obiectivul inițial de creștere. În zilele noastre, această rasă pe cale de dispariție este cel mai probabil să fie văzută înhămată la trăsuri sau la căruțe acoperite. Fiind un cal de călărie foarte robust, teoretic poate fi folosit și el și este în orice caz potrivit pentru plimbări de agrement datorită nervilor săi puternici. Cu toate acestea, în zilele noastre, această rasă nu este adesea văzută în fața trăsurilor sau sub călăreți.

Ponei Shetland

General

Insulele Shetland, care se află la aproximativ 170 km nord de coasta scoțiană, reprezintă zona de origine a poneiului Shetland. Se crede că această rasă de ponei este una foarte veche, care a trăit sălbatic pe insule pentru o perioadă lungă de timp. Poneii mici, dar foarte rezistenți, au fost folosiți pe insule pentru muncile agricole, în ferme și ferme de animale. Cu toate acestea, începând cu secolul al XIX-lea au fost aduși din ce în ce mai mult în Marea Britanie pentru a servi ca ponei de mină în industria minieră. În această perioadă, s-a încercat, de asemenea, încrucișarea cu alte rase pentru a modifica dimensiunea poneilor Shetland. Cu toate acestea, Lordul Londonderry s-a angajat să păstreze rasa originală și să stabilească o rasă pură. Pe măsură ce mineritul a devenit din ce în ce mai puțin important, poneii Shetland au început să fie folosiți ca și cai de echipă și cai de călărie pentru copii. Din acel moment, creșterea a cunoscut un adevărat boom, iar aria de creștere și vânzare a acestei rase s-a extins la întreaga Europă. Fie că era ponei de trăsură, ponei de circ, ponei de muncă sau ponei de călărie: poneiul Shetland putea fi folosit în multe feluri diferite și astfel această rasă a devenit rasa dominantă de ponei în Germania în 1970. Astăzi este încă foarte populară în Europa.

Figura 15: ponei Shetland

Exterior

Numiți cu afecțiune "Shettys", sunt una dintre cele mai mici rase de ponei din lume și au o înălțime maximă de 107 cm. Constituția este bine proporționată, cu un cap mic și nări mari. Ochii sunt prietenoși, mari și adesea puțin obraznici. Tipic pentru această rasă, poneii mici au o haină foarte densă, mai ales iarna, dar și o coamă luxuriantă și o coadă impresionantă pe tot parcursul anului. Ponei robuste, puternice, cărora le place să aibă un pic prea mult pe coaste - așa vă puteți imagina aceste mici animale. Poneii Shetland apar în toate culorile, deși petele de tigru nu sunt dorite în creștere. Din cauza dimensiunii lor mici, mersul poate părea uneori un pic cam rapid și împiedicat. Trotul este adesea comparat cu o mașină de cusut. În ciuda pașilor mulți, mici și rapizi, poneii sunt de obicei ușor de călărit.

Interior

Rasa Shetty este inteligentă și frugală și pare să fie foarte longevivă și, de asemenea, fertilă. Poneii, extrem de rezistenți și puternici, au o dispoziție benignă, dar și adesea obraznică. Pot fi, de asemenea, exemplare foarte încăpățânate, care adesea nu le ușurează viața în special începătorilor și copiilor. Așadar, trebuie să învățați să vă descurcați și cu craniul gros al unui shetty. Cu toate acestea, în principiu, sunt niște micuți cu nervi tari și cu mintea deschisă. De asemenea, trebuie să le recunoști acestor ponei că sunt foarte calmi și extrem de echilibrați, în ciuda încăpățânării lor uneori. Sunt foarte calmi cu copiii și îi lasă să scape de orice prostie.

Utilizați

Shettys sunt cei mai populari și cei mai frecvent cumpărați ponei pentru copii și pentru începătorii în echitație. Datorită amabilității lor, dar și datorită caracterului lor puternic, ei sunt, prin urmare, ideali ca "prim cal" pentru micii călăreți. În acest fel, copiii pot învăța nu numai cum să călărească pe ei, ci mai ales cum să se descurce cu caii în general. Shetty este conștient de sine și, astfel, îi învață și pe micii și marii începători că poneii nu sunt jucării și că trebuie să îi tratăm cu grijă. Prin urmare, Shetty este la fel de potrivită ca instructor de echitație și, de asemenea, ca profesor în ceea ce privește manipularea corectă a cailor, precum și pentru îmbrățișări, jocuri, ieșiri la plimbare și pur și simplu pentru a fi iubită. Datorită rezistenței lor, Shetty poate fi folosit și ca și cal de trăsură pentru adulți. Aici, această rasă poate trage cu ușurință de două ori propria greutate. De asemenea, poneii Shetland se bucură în mod deosebit de învățarea lecțiilor de circ și de mici trucuri și trucuri. Trebuie avut grijă să nu îi învățați lucruri greșite, deoarece poneii isteți ar putea profita de acest lucru.

Calul Shire

General

Calul Shire, o rasă foarte mare și grea, cu sânge rece, provine din Marea Britanie. Caii grei cu sânge rece erau deja indigeni aici înainte de secolul al XI-lea. În plus, trupele lui William Cuceritorul au adus în Anglia și cai mari și puternici de cavalerie, de tracțiune și de muncă. Dar acest lucru nu a fost suficient: pentru a da cailor cu sânge rece și mai multă mărime și forță, începând cu secolul al XII-lea au fost importați armăsari puternici din Olanda. S-a născut astfel creșterea cailor Shire, care a continuat ca rasă pură începând cu anul 1328. S-a avut mare grijă să se selecteze cele mai mari și mai grele animale. Cu toate acestea, până în 1530, rasa a fost încă denumită *"Marele Cal"*. În acel moment, Henric al VIII-lea și-a fondat propria crescătorie pentru această rasă specială. Rasa a primit apoi numele său final prin intermediul zonelor de creștere care s-au dezvoltat în regiunea *Lincolshire.* Din cauza celor două războaie mondiale, însă, populația de uriași a scăzut drastic. Astăzi, doar datorită crescătorilor și crescătoriilor dedicate, calul Shire este încă atât de numeros și rasa rămâne atât de populară.

Exterior

Un cal Shire impresionează prin aspectul său și poate atinge cu ușurință o înălțime de peste 170 cm și o greutate de peste 1000 kg. Acești cai masivi cu sânge rece se remarcă prin părul lung și dens de pe coamă și coadă și au, de asemenea, fetrugi abundenți. Membrele posterioare și coapsele giganților blânzi sunt deosebit de puternice. Capul, precum și gâtul sunt destul de lungi și, de asemenea, picioarele par lungi și robuste. Din punct de vedere al dezvoltării, calul Shire este un cal care înflorește târziu și are nevoie de mai mult timp pentru creșterea oaselor. Copitele masive și foarte mari ale acestei rase sunt, de asemenea, impresionante. Majoritatea cailor Shire sunt maro sau negri, în timp ce caii gri sunt rari. Fiecare Cal Shire poartă cel puțin o marcă sabino minimă. Acest lucru înseamnă că pot fi găsite semne albe pe cap, dar și pe copite sau pe articulațiile carpaților și ale cocciselor. Ar trebui menționat, de asemenea, mersul deosebit de elegant al calului Shire. Spre deosebire de alți cai cu sânge rece, această rasă nu pare greoaie, ci mai degrabă destul de sprintenă, care acoperă terenul și este impresionantă. Galopul pare, de asemenea, puternic și nu greoi.

Interior

Calul Shire nu este numit "gigantul blând" în țara sa de origine fără motiv. Blândețea lui este incomparabil de mare, iar manevrarea lui este foarte simplă. Datorită nervilor săi puternici și a naturii sale bune, este un cal cu adevărat de încredere și poate fi manevrat de oricine. Calul Shire are un temperament plăcut și o fire foarte sociabilă. Această rasă este, de asemenea, foarte calmă și calmă în situații stresante și cu începătorii și copiii. În plus, un Cal Shire este foarte orientat spre oameni și îi place să aibă un îngrijitor special.

Utilizați

Această rasă uimește fără îndoială oamenii și privitorii, motiv pentru care este adesea înhămată în fața căruțelor sau văzută în spectacole. Această rasă grozavă impresionează, de asemenea, în expozițiile de creștere a cailor. Dar calul Shire nu este popular doar ca și cal de trăsură sau de spectacol, ci și ca și cal de muncă și de tracțiune. Calul de talie mare se remarcă, de asemenea, prin faptul că este potrivit ca partener de încredere pentru petrecerea timpului liber și cal de familie. Cu ale sale ținute impresionante, poate impresiona și în dresaj. Această rasă este, de asemenea, excelent potrivită pentru plimbări în aer liber, dar și ca un cal blând pentru copii și pentru terapie.

Trakehner

General

Rasa Trakehner există de peste 280 de ani, fiind astfel cea mai veche rasă germană de cai de călărie. În 1732, regele prusac Friedrich Wilhelm și-a deschis principala crescătorie de armăsari *"Trakehnen"*, care a trecut mai târziu la fiul său, regele Friedrich al II-lea. În primul rând, acest armăsar era cunoscut pentru că producea cai de trăsură foarte rezistenți și nobili. Spre sfârșitul secolului al XVIII-lea, obiectivul de creștere a fost schimbat și au fost crescuți cai militari puternici. În secolul al XIX-lea, au fost crescuți, de asemenea, arabi și pursânge de rasă englezesc pentru rafinament, motiv pentru care sângele Trakehner a ajuns în scurt timp la o pondere de 50 % în rândul pursânge de rasă. La sfârșitul celui de-al Doilea Război Mondial, reproducerea la principala fermă de armăsari a dispărut complet. 45 de armăsari și 575 de iepe din crescătorii privați au fost importați în Germania și au constituit baza pentru continuarea creșterii sau renașterea rasei acolo. În 1945, creșterea Trakehner-ului a fost astfel complet transferată în Germania, unde este practicată și astăzi în principal. Trakehners, cu o proporție extrem de mare de cai de rasă, este de asemenea folosit în repetate rânduri pentru a crește alte rase de cai de rasă warmblood.

Exterior

Trakehner este un cal de rasă warmblood relativ mare, cu o înălțime cuprinsă între 160 cm și 170 cm și un aspect foarte elegant și nobil. Cu o constituție armonioasă și zveltă se poate recunoaște cu ușurință componenta de pur-sânge. Ochii expresivi, liniile gâtului bine formate, ochii mari, precum și un spate atletic sunt foarte importante. Întregul corp pare atletic și bine proporționat. Rasa apare în toate culorile, unde piebald este destul de rar. Mersul acestei rase acoperă solul, trotul este aproape plutitor, iar galopul este nobil și energic. Atât galopurile de durată, cât și lecțiile de colectare nu reprezintă o problemă pentru Trakehner.

Interior

Trakehnerul combină duritatea cu nobleţea, iar acest lucru se reflectă şi în caracterul său. Dorinţa de a performa şi nerăbdarea de a merge se întâlnesc cu sensibilitatea şi inteligenţa. Datorită părţii sale de pur-sânge, Trakehner are un temperament şi o voinţă proprie, dar impresionează şi prin bunătatea şi docilitatea sa. Rasa are nervi puternici şi este versatilă, dar are nevoie şi de un călăreţ experimentat din când în când. Rezilienţa, precum şi fiabilitatea descriu foarte bine natura acestei rase.

Utilizaţi

Trakehners sunt adevăraţi cai de sport şi pot fi folosiţi în multe moduri diferite. Fie că este vorba de dresaj, sărituri, conducere, concursuri sau sporturi de anduranţă: nu pare să existe nicio disciplină pe care Trakehner să nu o poată stăpâni. Aici vă puteţi distra în toate disciplinele, atât ca un călăreţ de agrement, cât şi ca un călăreţ de competiţie. În consecinţă, această rasă este foarte populară. Trakehner este o alegere bună pentru călăreţii care doresc să încerce toate disciplinele şi care pot oferi calului suficient exerciţiu.

Tinker

General

Pentru o lungă perioadă de timp, Tinker a fost cunoscut doar ca fiind calul de muncă şi calul de tracţiune al aşa-numiţilor *călători* irlandezi. Călătorii erau un popor de călători care, în mod colocvial şi dispreţuitor, erau numiţi *Tinkers. În limba* germană, acest cuvânt ar fi probabil tradus ca *tinker* sau *ţigan.* Această veche înjurătură a dat astfel numele rasei de cai. Cu toate acestea, istoria exactă a cailor Tinker este foarte vagă, deoarece Tinker nu a fost niciodată văzut şi recunoscut ca o rasă independentă în ţările sale de origine, Anglia şi Irlanda. Se poate presupune, totuşi, că Tinkerul provine probabil dintr-un amestec de cai cu sânge rece şi ponei Dales. Aşa s-a dezvoltat treptat această rasă plină de robustețe, tracțiune și prietenie. Abia în 1990, rasa a devenit la modă în Germania și în Europa Centrală. Interesul a crescut, iar în 1998 a fost înființată o asociație de creștere a acestei rase. Nu fiți surprins dacă citiți despre Irish Cob în acest context - acesta este doar un alt nume pentru aceeași rasă.

Exterior

Fizicul unui Tinker poate fi foarte diferit și se pot recunoaște influențele diferitelor rase de warmblood, coldblood și ponei. Există Tinkers care sunt încă de tipul calului de tracțiune greu, precum și tipuri mai degrabă de greutate medie până la tipul ponei. În principiu, înălțimea unui Tinker este cuprinsă între 135 cm și 160 cm, în funcție de linia de creștere, cu o statură compactă și puternică. Un cap de berbec este adesea întâlnit la această rasă, iar ochii mari și limpezi sunt, de asemenea, o caracteristică tipică. Barba tipică de capră și de buză superioară este, de asemenea, izbitoare. Spatele este musculos, nu prea lung și se îmbină într-o crupă puternică. Blana lungă este deosebit de pronunțată, la fel ca și kötenbehang-ul. Deosebit de dorit în ceea ce privește culoarea blănii sunt pieptenii plate, deși pot apărea și piepteni sabino, tobiano și overo. În principiu, însă, Tinkers sunt de toate culorile. Mersul de bază al unui Tinker nu este deosebit de spectaculos, dar este foarte confortabil și ușor de așezat. Galopul, de exemplu, impresionează cu un ritm plăcut și calm și o rezistență excelentă.

Interior

Tinker sau Irish Cob este un cal deosebit de robust și de încredere. Aceste animale sunt inteligente, curioase și orientate spre oameni și au un caracter minunat de echilibrat. Este important ca această rasă să aibă încredere în omul său, motiv pentru care pot fi, de asemenea, încăpățânați și disprețuitori dacă relația nu este suficient de solidificată. În plus, această rasă strălucește printr-un grad ridicat de independență și dorința de a învăța. În plus, Tinkerul este foarte responsabil și, prin urmare, foarte fiabil. Alte caracteristici pozitive sunt nervii săi puternici și docilitatea.

Utilizați

În special în Europa Centrală, Tinker este un cal de agrement foarte popular, care s-a dovedit a fi un companion de încredere. Datorită amabilității sale, este adesea folosit ca un cal pentru copii, pentru familie sau pentru terapie. Bineînțeles, poate fi folosit - așa cum era prevăzut inițial - și ca un cal de trăsură. În Irlanda, în special, există excursii turistice cu căruța acoperită sau chiar săptămâni de vacanță cu o căruță acoperită, prin care Tinkers, printre altele, sunt încă folosite aici.

Pur-sânge arab

General

Originea calului pur-sânge arab conține o legendă specială. Conform acestei legende, rasa descinde din cinci iepe care l-au însoțit sau l-au condus pe profetul Mahomed la Medina. Adevărul este că rasa a fost crescută încă din secolul al VII-lea, fiind astfel una dintre cele mai vechi rase de cai din lume. Pur-sângele arab a fost cunoscut timp de secole ca fiind calul de deșert al beduinilor. Când arabii au ocupat Spania, acești cai au devenit cunoscuți pentru prima dată în Europa. Apoi, când arabii au fost importați în secolul al XIX-lea pentru a rafina rasele autohtone, calul pur-sânge arab a căpătat din ce în ce mai multă faimă și popularitate în Europa. În acest sens, se remarcă în special armăsarul regal *Weil din Württemberg,* care s-a ocupat de creșterea cailor arabi pur-sânge. Cu toate acestea, în Peninsula Arabică, populația de cai de rasă pur sânge a scăzut începând cu secolul al XX-lea din cauza modernizării și a unor epidemii. Între timp, se încearcă importarea în Peninsula Arabică a arabilor pur-sânge din Europa și SUA pentru a revigora și consolida rasa.

Exterior

Înălțimea ideală a arabului pur-sânge este cuprinsă între 148 cm și 157 cm, cu o constituție corectă. Calul își primește carisma nobilă de la capul tipic în formă de pană cu ochi mari. Nările sunt, de asemenea, foarte mari și dominante, ceea ce este accentuat de capul în formă de știucă. Coada mereu așezată sus și gâtul lung și curbat sunt, de asemenea, izbitoare. Dacă vă uitați la culorile arabului pur-sânge, există în principal gri. Cu toate acestea, celelalte culori de bază sunt, de asemenea, foarte frecvente. În mod interesant, arabul pur-sânge are doar 17 coaste, 15 vertebre ale cozii și șase vertebre lombare. Mișcările unui arab sunt ample și energice, dar nu la fel de expansive sau impunătoare ca cele ale unui warmblood. Cu toate acestea, mersul acestei rase impresionează prin ușurința enormă a piciorului și, de asemenea, prin viteză.

Interior

Arabii pur-sânge au două trăsături de caracter deosebite: Rezistența și duritatea. În ciuda construcției lor fine, caii din deșert sunt mai rezistenți decât s-ar putea aștepta cineva. În plus, sunt extrem de adaptabili, prietenoși și orientați spre oameni. Trebuie menționat aici că unui arab pur-sânge îi place să aibă un singur îngrijitor și nu dorește să treacă prin mai multe mâini. Dacă lipsește o relație intimă și suficientă mișcare, el poate fi foarte inconfortabil și impetuos. Aici își arată temperamentul și energia. În principiu, însă, această rasă este una foarte echilibrată, care ar face orice pentru călărețul său. De asemenea, sunt foarte docili și receptivi.

Utilizați

Pur-sângele arab este adesea prezentat și folosit ca un cal de spectacol și de circ, datorită nobleței și frumuseții sale, dar acest lucru nu este neapărat potrivit pentru dispoziția și caracterul său. Pur-sângele arab își poate arăta talentul și pe pista de curse sau sub șaua western. Din când în când îl puteți vedea și în fața unor căruțe ușoare sau în arena de dresaj. Cu toate acestea, caii de durată din deșert sunt neînvinși mai ales în sportul de anduranță. În principiu, pur-sângele arab devine din ce în ce mai popular și în rândul călăreților de agrement. Aici, însă, calului energic trebuie să i se ofere suficientă activitate fizică și mentală.

Westfalia

General

Originea creșterii acestei rase este legată de înființarea, în 1826, a crescătoriei de stat din *Warendorf,* însă asociația de creștere asociată nu a fost înființată decât în 1904. Până la sfârșitul celui de-al Doilea Război Mondial, reproducerea în cadrul hergheliei s-a axat în principal pe caii de muncă grei pe care fermierii îi foloseau în fața căruțelor. În special în primele zile ale hergheliei, au fost încrucișate o varietate de rase precum Oldenburg, trotter, Hanoverian sau Anglo-Norman. Deja după Primul Război Mondial, accentul a fost pus pe încrucișarea cu Hanoverieni. Acest accent a fost întărit și mai mult după cel de-al Doilea Război Mondial, deoarece tendința era din ce în ce mai mult spre cai de sport moderni. În principiu, numai rasele pure de cai germani au fost încrucișate în rasa Westfaliană. Astăzi, Westfalianul este a doua cea mai mare rasă de cai germani din rasa warmblood, după Hanoverian, cu aproximativ 240 de armăsari și peste 8.500 de mame de prăsilă.

Exterior

În ceea ce privește fizicul, Westfalianul corespunde aproape în totalitate unui Hanoverian. Acest lucru înseamnă că Westfalianul are corpul puternic și musculos al unui cal de sport modern. Westfalianul pare doar un pic mai aspru și mai puternic decât Hanoverianul, ceea ce se datorează istoriei de reproducere. Dimensiunea este de aproximativ 155 cm până la 165 cm, iar greutatea este de aproximativ 500-550 kg. Caii vulpi și cai bay sunt foarte des întâlniți printre Westfaliani, dar și caii gri și negri sunt, de asemenea, comuni. Ieşirile de bază sunt energice, care acoperă solul şi cu o fază de plutire pronunţată, tipică unui cal de sport. De asemenea, potenţialul de sărituri nu trebuie subestimat.

Interior

Rasa Westphalian este una destul de calmă, ceea ce o face atât de specială. Astfel, în ciuda faptului că este potrivit ca şi cal de sport, Westphalianul este foarte calm, fără un temperament prea energic. Ca orice cal de rasă sportivă, are o dorinţă enormă de a învăţa şi de a merge. Este evident de ce Westphalianul este al doilea cel mai popular cal din Germania: este foarte orientat spre oameni, prietenos şi bun la suflet. În plus, impresionează prin curajul şi nervii săi puternici.

Utilizaţi

Creşterea Westphalianului se concentrează pe sportivii de înaltă performanţă, motiv pentru care poate fi văzut mai ales în dresaj şi sărituri peste obstacole. Este versatil şi poate fi văzut foarte des la concursuri, având şi un succes deosebit. Cu toate acestea, deoarece este foarte calm şi relaxat pentru un cal de sport, poate fi folosit şi departe de sportul de competiţie, ca partener de agrement sau, de asemenea, pentru începători de echitaţie. Este un animal blând prin natura sa şi se poate adapta bine la orice călăreţ sau persoană. Fiind un cal bun la toate, poate fi folosit pentru orice sport.

Württemberger

General

Începuturile rasei Württemberger datează din 1573, când a fost fondat Armăsarul Principal şi de Stat *Marbach.* La acea vreme, scopul principal al crescătorii era de a creşte cai rezistenţi pentru regiunea muntoasă din Württemberg. Au fost încrucişate şi rafinate o mare varietate de linii de sânge, inclusiv Trakehner, Oldenburg şi Norman. Astfel au rezultat cai rezistenţi şi versatili, care sunt numiţi şi astăzi *"Alt-Württemberger".* Până la sfârşitul secolului al XIX-lea nu s-a realizat o creştere sistematică şi mai precisă. Şi în acest caz, obiectivul de creştere s-a schimbat după cel de-al Doilea Război Mondial şi s-a pus accentul pe caii de sport. De atunci, Trakehner a fost folosit din ce în ce mai mult pentru încrucişări. Astăzi, Württemberger este una dintre cele mai nobile rase de cai germani.

Exterior

Fizicul calului Württemberger îndeplineşte toate criteriile unui cal de sport modern. Această rasă pare elegantă, cu linii mari şi armonioasă. Datorită conţinutului de sânge nobil, în special capul apare foarte expresiv, cu ochi mari şi un gât bine conturat. Dimensiunea variază între 160 cm şi 177 cm. În plus faţă de culorile de bază, caii Wuerttemberger sunt şi pătaţi. Datorită creşterii Trakehner, caii Württemberger au un mers uşor ca al unui pur-sânge, dar pe de altă parte sunt şi foarte acoperitori de sol şi legănat ca un warmblood.

Interior

Württemberger este un cal sensibil, dar echilibrat, care convinge prin natura sa bună. Rasa este foarte dornică de performanţă şi motivată, dar cu toate acestea are un temperament foarte plăcut şi nu este prea energic. În plus, trebuie subliniată fiabilitatea şi nervii săi puternici. Württemberger este bine educat în manevrare şi, în consecinţă, uşor de manevrat.

Utilizaţi

Württemberger Warmblood este un cal polivalent şi este potrivit atât pentru competiţii, cât şi pentru echitaţie de agrement. În funcţie de linia de reproducere, sunt deosebit de talentaţi la dresaj sau, de asemenea, la sărituri peste obstacole. Indiferent dacă sunteţi deja un călăreţ experimentat în show sau dacă abia începeţi să gustaţi din scena de show

- cu Württemberger ați găsit partenerul potrivit. Datorită ușurinței sale de călărie și a naturii sale bune, poate fi folosit și ca un cal de agrement sau pentru începători de echitație. Caii din linia de reproducție destul de veche, care sunt încă un pic mai rezistenți, sunt, de asemenea, populari pentru conducere.

Zweibrücker

General

Zweibrücker își trage numele de la *Zweibrücken* State Stud, care a fost fondat de ducele Christian IV în 1755. Sub conducerea sa, warmbloods locali au fost încrucișați cu pur-sânge englez și arabi. Astfel, au rezultat cai de călărie pentru cavalerie, gata de performanță. Spre sfârșitul secolului al XVIII-lea, s-a continuat din ce în ce mai mult reproducerea cu armăsari anglo-normanzi pentru a obține cai de muncă pentru agricultură. După cel de-al Doilea Război Mondial, creșterea s-a schimbat din nou pentru a produce cai de călărie moderni. În acest caz, au fost crescuți în principal Hanoverieni și Trakehneri. Când au vrut să înceapă o linie de sărituri, puțin mai târziu, au încrucișat din ce în ce mai mult Holstein. Până în prezent, registrul genealogic este deschis, ceea ce înseamnă că rasa Zweibrücken nu este o rasă pură, dar că anumite rase pot fi folosite pentru reproducere.

Exterior

Zweibrückerii sunt cai de călărie atletici, cu linii mari, cu o înălțime cuprinsă între 160 cm și 170 cm. Întregul corp este bine proporționat, cu o musculatură armonioasă. Garoul lung și linia superioară curbată și generoasă sunt izbitoare. Lunca este musculoasă și se îmbină cu o crupă la fel de musculoasă. Articulațiile sunt puternice și bine definite. Zweibrückers se prezintă în toate variantele de culoare și nuanțe posibile. Dacă vă uitați la mersul acestei rase, veți observa imediat acoperirea tipică a solului și trotul plutitor al unui cal de sport. Un galop bun în urcare este, de asemenea, evident.

Interior

Ca şi cal de călărie, Zweibrücker este un partener foarte fiabil, care merge la muncă cu bucurie şi cu nervi puternici. Afabilitatea şi prietenia caracterizează această rasă la fel de mult ca şi numeroasele sale talente. În plus, rasa este foarte uşor de călărit şi dornică de performanţă. Caracterul bun şi inteligenţa ridicată sunt la fel de impresionante ca şi temperamentul echilibrat.

Utilizaţi

Această rasă este la fel de polivalentă ca multe alte rase de cai germani warmblood. Aşadar, veţi vedea Zweibrückerul la sărituri peste obstacole şi dresaj, precum şi la varietăţi sau la conducere. Nu contează dacă folosiţi Zweibrückerul pentru competiţii sau pentru sport de agrement: Acest cal impresionează prin dorinţa sa de a performa în toate disciplinele. De asemenea, poate fi folosit ca şi cal de călărie sau ca profesor pentru începători.

Bonus: Tabel de ansamblu

Pe scurt și concis, aș dori să vă prezint un tabel de prezentare generală care poate servi drept referință rapidă. Desigur, nu toți caii de o anumită rasă sunt la fel în ceea ce privește natura, talentele și aptitudinile lor, dar cu toate acestea, fiecare rasă tinde să aibă anumite caracteristici. Aș dori să prezint aici aceste trăsături de bază sau tipice. În acest fel, puteți vedea rapid toate rasele prezentate dintr-o privire:

Rasa de cai	Tip	Trăsătură	Focus	Potrivit pentru începători
Achal-Tekkiner	Semisânge	Duritate, rezistență, temperament	Curse de anduranță, Curse	nu
Andalusian	Warmblood	Temperament, bună dispoziție, dorința de a învăța	Dresaj, prezentare, Echitație de lucru	nu
Pinto baroc	Sânge cald	Amabilitate, nervi de oțel, calm.	Dresaj, trăsură, agrement	da
Berber	Semisânge	Fidelitate, curaj, prudență	Trasee de echitație, condus, agrement	da
ponei Connemara	Pony	Prudență, inteligență, perseverență	Trail Călărit, Sărituri peste obstacole, Timp liber	da
Clydesdale	Sânge rece	Blândețe, energie, voință de muncă	Căruță, Agricultură, Expoziție	nu
Ponei de călărie germani	Pony	Ambiție, deschidere sufletească, dorința de a merge	All-rounder pentru copii + tineret	da
Dartmoor Pony	Pony	Încredere în sine, inteligență, orientare către oameni	All-rounder pentru copii + tineret	da

Exmoor Pony	Pony	Putere, prietenie, echilibru	Ponei pentru copii, sărituri, trăsură	da
Pur-sânge englezesc	Pur-sânge	Rezistență, temperament, sensibilitate	Curse, ciclism de anduranță	nu
Calul Fjord	Pony	Calm, tărie de caracter, curaj	Timp liber, Întrebuințare ușoară, Cărucior	parțial
Friese	Sânge cald	Blândețe, sensibilitate, putere nervoasă	Dresaj, prezentare, Călăuză	parțial
Gelder-country	Sânge cald	Calm, docilitate, sensibilitate	Conducere, cal de povară, agrement	nu
Ponei Gotland	Pony	Afabilitate, dorința de a învăța, perseverență	Multifuncțion al pentru copii, condus	da
Haflinger	Pony	Echilibru, inteligență, curaj	Cal de familie, cal universal	parțial
Hannov-eran	Sânge cald	Dorința de a performa, neînfricare, bunăvoință	Multifuncțion al în sporturi de înaltă performanță și activități de agrement	da
Indianbred	Semisânge	Temperament, dorință de performanță, robustețe	Cavalerie, Întreceri sportive	nu
Islandezii	Pony	Robustețe, independență, fiabilitate	Timp liber, călărie, echitație, conducere, curse	da
Jutland	Sânge rece	Calm, dorința de a munci, ascultare	Agricultură, transporturi, parțial agrement	nu
Kladruber	Sânge rece	Energie, bună dispoziție, amabilitate	Spectacol, Căruță, Timp liber	da
Knab-	Sânge	Percepție Forța	Polivalent în	parțial

strupper	cald	de caracter, inteligență	toate domeniile	
Lipizzaner	Sânge cald	Sensibilitate, voință, entuziasm pentru muncă	Dresaj înalt, conducere	nu
Lusitano	Sânge cald	Curaj, temperament, sensibilitate	Dresaj înalt, Western, Echitație de lucru	nu
Menorquin	Sânge cald	Tăria de caracter, calmul, zelul	Expoziție, Dresaj, Întregitorul	nu
Missouri Fox Trotter	Sânge cald	Frugalitate, dorința de a munci, securitate	Plimbări pe traseu, plimbări de anduranță, muncă la fermă	parțial
New Forest Pony	Pony	cuminte, Deloc complicat, Iscoditor, Iscoditor	All-rounder pentru copii + tineret	Da
Noriker	Sânge rece	Nervozitate, calm, liniște, calm	Agricultură, Transporturi, Timp liber	da
Oldenburger	Sânge cald	Sensibilitate, energie, dorința de a învăța	Dresaj și sărituri sportive de înaltă performanță	nu
Orlov Trotter	Semisânge	Energie, dorința de a performa, rezistență	Conducere, călărie de anduranță	nu
Palomino	Sânge cald	Individuale, sociabilitate, robustețe	Westerns, plimbări pe traseu, agrement	da
Percheron	Sânge rece	Zel, amabilitate, amabilitate, bunăvoință	Agricultură și silvicultură, transporturi	da
Quarter Horse	Sânge cald	Dorința de a performa, echilibru, nervi de oțel	Allrounder, de Vest, de călărie, de probă	da
Rhinelander	Sânge cald	Temperament, tărie de caracter, dorința	Dresaj, Sărituri peste	parțial

		de a performa	obstacole, Atelaje	
Cal cu sânge rece renano-vestalian	Sânge rece	Bucuria de a munci, solidaritate, bunăvoință	Silvicultură, trăsură, plimbări	da
Ponei Shetland	Pony	Nervozitate, calm, voință	Multifuncțion al pentru copii; Conducere	da
Calul Shire	Sânge rece	Blândețe, seriozitate, orientare către oameni	Expoziție, Timp liber, Cal de familie	da
Trakehner	Sânge cald	Duritate, plăcere de mers pe jos, sensibilitate	All-rounder în sportul de competiție	nu
Tinker	Sânge cald	Robustețe, docilitate, curiozitate	Timp liber, Cal de familie, Căruță acoperită	da
Pur-sânge arab	Pur-sânge	Perseverență, loialitate, energie	Pentru toate tipurile de călărie, de anduranță,	nu
Westfalia	Sânge cald	Calm, dorința de a învăța, orientat spre oameni	Dresaj, Sărituri peste obstacole, Întregitorul	da
Würt-temberger	Sânge cald	Sensibilitate, seriozitate, sociabilitate	Atelaje, Dresaj, Sărituri peste obstacole	da
Două poduri	Sânge cald	Fiabilitate, manevrabilitate, prietenie	Un profesionist în sport și în timpul liber	da

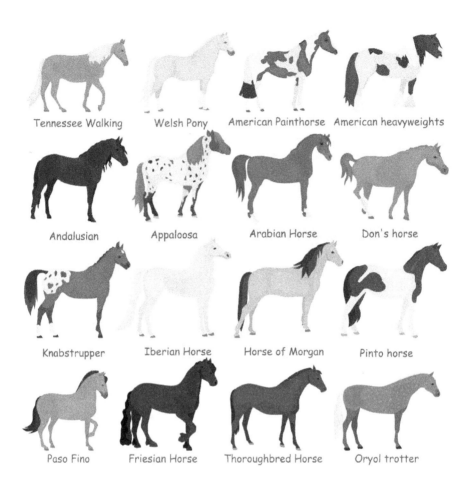

Tennessee Walking   Welsh Pony   American Painthorse   American heavyweights

Andalusian   Appaloosa   Arabian Horse   Don's horse

Knabstrupper   Iberian Horse   Horse of Morgan   Pinto horse

Paso Fino   Friesian Horse   Thoroughbred Horse   Oryol trotter

Cuvânt de încheiere

Și iată-ne din nou la finalul acestui ghid pentru cai și ponei. Dacă ați citit cartea de la pagina 1 până în acest punct, vă puteți considera un adevărat profesionist în ceea ce privește rasele de cai. Sper că acum sunteți bine familiarizat cu istoria cailor, cu subdiviziunile raselor de cai și că acum sunteți familiarizat cu fiecare rasă în parte. Poate că această carte v-a trezit sau v-a întărit interesul pentru cai. Poate că ați găsit calul potrivit pentru dumneavoastră. Poate că, în calitate de părinte, ați găsit acum o bază solidă pentru discuțiile cu copilul dumneavoastră iubitor de cai.

În toate cazurile, mă bucur că ați ales ghidul meu și, în cel mai bun caz, continuați să îl folosiți ca pe o carte de referință. Lumea raselor de cai este imensă și s-ar putea umple mai multe cărți. Cu toate acestea, ați primit o primă imagine de ansamblu excelentă a diferitelor rase. Acum puteți convinge cu cunoștințele dumneavoastră și, în mod ideal, să le aplicați imediat.

Mergeți la un padoc sau vizitați un grajd de echitație. Știți care este diferența dintre un cal mare și un ponei? Puteți face diferența între un sânge cald și un sânge rece? Minunat, ați învățat deja atât de multe. Nu încetați niciodată să vă educați - lumea cailor și a echitației oferă atât de multe informații și atât de multe de învățat. În orice caz, vă doresc multă distracție aici și acum în continuarea călătoriei dvs. ecvestre și de echitație.

Surse

https://www.deine-tierwelt.de/magazin/pferdetypen-das-unterscheidet-warmblut-vollblut-und-kaltblut/

https://www.ehorses.de/magazin/pferderassen

https://www.geo.de/geolino/natur-und-umwelt/10361-rtkl-pferde-wie-das-pferd-zum-menschen-kam#die-geschichte-des-pferdes

https://herz-fuer-tiere.de/landtiere/pferde/pferderassen-von-a-bis-z/

https://www.josera.de/ratgeber/ratgeber-pferde/pferderassen.html

https://www.pferdchen.org/Pferde/Geschichte.html

https://de.wikipedia.org/wiki/Arbeitspferd

https://www.zooroyal.at/magazin/pferde

Recunoaștere

De regulă, autorul unei cărți este întotdeauna cel care se află în centrul atenției. Din nefericire, deoarece fără sprijinul activ al multor persoane din spate, proiectele de carte nu pot fi, de obicei, realizate. Acesta este și cazul de față.   Fără numeroșii mei "ajutoare" capabili, această carte despre caii islandezi nu ar fi existat cu siguranță.

Și bineînțeles că îți sunt recunoscătoare și pentru interesul tău, dragă cititorule. Mă bucur foarte mult că ai citit cartea până în acest punct și poate chiar ai lucrat la ea și mi-ai acordat timpul tău. Sper că ați avut unele efecte aha și că ați reușit să obțineți noi impulsuri pentru munca dumneavoastră cu calul dumneavoastră. Poate că știți deja că mai ales autorii independenți nu o duc deloc ușor pe piața extrem de competitivă a cărților. Cel mai bun mod de a-i face pe alți cititori să ia cunoștință de această carte este să o comenteze. În acest sens, m-aș bucura foarte mult dacă v-ați face timp să lăsați un comentariu la această carte. În acest fel, puteți ajuta alți cititori să ia o decizie de cumpărare și, poate, să faceți această carte un pic mai cunoscută. Ea este în mâinile dumneavoastră.

Vă mulțumim foarte mult tuturor - apreciem foarte mult!!!!

Printed in the USA
CPSIA information can be obtained
at www.ICGtesting.com
LVHW010534220224
772467LV00006B/130